AtV

Honoré-Gabriel Riqueti, Comte de Mirabeau (1749 bis 1791) war der ungeliebte Sohn eines provenzalischen Provinzadligen, ein Mann mit einem von Pockennarben entstellten Gesicht und einer überragenden Intelligenz. Der Haß des Vaters und sein eigenes hitziges Temperament brachten ihn in der Jugend mehrfach hinter die Gitter des Ancien Régime. 1789 von der Stadt Aix-en-Provence als Deputierter in die Generalstände, danach in die Nationalversammlung berufen, wurde er der sprachgewaltigste Redner der Französischen Revolution und eine ihrer populärsten Persönlichkeiten. Sein überraschend früher Tod hat ihn zweifellos vor der Guillotine bewahrt. Wichtigste Publikationen: »Lettres à Sophie«, geschrieben während der Festungshaft in Vincennes, »Des lettres de cachet et des prisons d'État« (1782), »Histoire secrète de la cour de Berlin« (1789) sowie eine Reihe erotischer Romane.

»Na«, fuhr die Marquise lachend fort, »da würde ich ja meinem Sohn einen hübschen Lehrer beibringen! Dessen will ich mich doch erst einmal vergewissern.« Damit griff sie mir unter das Jabot meines Hemdes und tat so, als suchte sie an meiner Brust feststellen zu wollen, ob ich ein Mädchen wäre. Ihre Brüste, die sich fast gänzlich meinen Augen zeigten, versetzten mich in einen Zustand, der ihre Zweifel hinlänglich hätte zerstreuen können. In dieser Situation verlor ich all meine Schüchternheit, nahm ihre andere Hand und drückte sie auf den greifbaren Beweis ihres ungerechtfertigten Verdachtes.

»Oh«, rief sie aus, »wie ich mich getäuscht habe! Sie haben aber auch ein zu hübsches Gesicht! Mein Irrtum ist verzeihlich. Aber noch so jung … und schon einen von solcher Größe! Auf Ehre, Abbé, Sie sind ein Ungeheuer!«

Honoré-Gabriel Riqueti
Comte de Mirabeau

HIC & HEC

oder

Die Stufenleiter der Wollust

Aus dem Französischen
und mit einem Nachwort
von Eberhard Wesemann

Aufbau Taschenbuch Verlag

Titel der Originalausgabe
Hic et Hec ou l'Élève des RR. PP. Jésuites d'Avignon

ISBN 3-7466-1411-2

3. Auflage 1999
Aufbau Taschenbuch Verlag GmbH, Berlin 1998

Umschlaggestaltung Preuße & Hülpüsch Grafik Design
unter Verwendung eines Fotos von The Image Bank
Satz LVD GmbH, Berlin
Druck Elsnerdruck GmbH, Berlin
Printed in Germany

Meine Herkunft und meine Bildung*

Daß ich auf die Welt gekommen bin, verdanke ich der Zerstreuung eines ehrwürdigen R. P., eines Jesuitenpaters aus Avignon, der mit meiner Mutter, einer Wäscherin des dortigen Ordenshauses, promenierend, in der Dunkelheit den ihm bekannten engen Pfad einschlug statt des breiten, aber ihm nur wenig vertrauten Hauptweges.

Ich war kaum sechs Jahre alt, als mich seine väterliche Liebe aus Barmherzigkeit in die niederste Klasse der Klosterschule aufnehmen ließ; dort verrichtete ich alle Dienste, die man von meinem Alter erwarten durfte. Dank den glücklichen Anlagen, mit denen mich die Natur ausgestattet hatte, zog ich meinen Nutzen daraus. So konnte ich mit zwölf Jahren bereits die Tertia ausfegen und für Pater Natophilos, der dort Regens war, Besorgungen erledigen.

Ich war frühreif in allem; mein hochaufgeschossener und schlanker Wuchs, mein rundes, zartes Gesicht, mein kastanienbraunes Haar und meine großen verständigen schwarzen Augen ließen mich älter erscheinen, als ich in Wirklichkeit war: Man hielt mich für einen Knaben von vierzehn Jahren. Meine niedere Herkunft und meine ärmliche Kleidung ließen keine nähere Bekanntschaft mit meinen Schulkameraden zu und hielten mich somit ihrer Sittenverderbnis fern. So gab ich mich allein dem Studium

* Die Überschriften entsprechen nicht dem französischen Original, sie sind vom Herausgeber eingesetzt, um durch diese Zäsuren etwas Ruhe in den Text zu bringen.

hin. Der Regens, zufrieden mit den Fortschritten, die ich machte, gewann eine Vorliebe für mich. So gewährte er mir die Gunst, sein Zimmer in Ordnung zu bringen, sein Bett zu machen und ihm alles zu besorgen, was er so brauchte. Als Belohnung gab er mir nach Schulschluß Privatstunden auf seinem Zimmer. So durfte ich bereits Autoren lesen, die man ansonsten in der Öffentlichkeit nicht in die Hand bekam und auch nicht übersetzte.

Eines Tages – ich war damals reichlich dreizehn Jahre – hielt er mich zwischen seinen Beinen fest, um mir bei der Übersetzung einer Satire des Petronius mit den Augen zu folgen; dabei bemerkte ich, wie sich sein Gesicht erhitzte, seine Augen zu funkeln begannen, er schneller atmete und ab und zu schnaufte. Ich beobachtete das mit besorgniserregender Neugier, die mich, da ich nicht mehr ganz bei der Sache war, einen Übersetzungsfehler machen ließ.

»Was denn, du kleiner Schelm«, sagte er mit einem Ton in der Stimme, die mich vor Angst erbeben ließ, »nicht einmal ein Sextaner würde einen solchen Fehler machen! Du hast die Rute verdient!«

Ich mochte noch so um Entschuldigung und um Gnade flehen, es war alles vergebens. Das Urteil war gesprochen, und ich mußte mich der Strafe unterwerfen. Er bewaffnete sich also mit einem Bündel dünner Ruten, befahl mir als dann, meine Hose herunterzulassen, stieß mich auf sein Bett, und in der Besorgnis, ich könnte mich vielleicht der Züchtigung entziehen, legte er mir seinen linken Arm um die Hüfte, dergestalt, daß seine Hand mein Edelreis zu fassen bekam, dessen Gebrauch ich noch nicht kannte, obgleich seine zeitweilige Steifheit mir seit einem Jahr mancherlei Anlaß zum Grübeln gegeben hatte.

»Also, du Schlingel, ich werde dir deine Schwäche, die Syntax zu beherrschen, schon einbleuen!«

Alsdann versetzte er mir leichte Schläge mit seinen Ruten auf meine Hinterbacken, sie dabei mehr anreizend, als sie zu verletzen. Meine Furcht oder vielleicht auch nur das sanfte Reiben seiner Hand ließ das auferstehen, was er festhielt.

»Na, du Schlingel, was fühle ich denn da an dir? Ah, nun wirst du sie erst richtig zu spüren bekommen!« Dabei fuhr er mit seiner sanften Rutenstreichelei fort, bis daß, überwältigt von Wollust, sich ein Strom von warmem Nektar ergoß, der seine Bemühungen krönte und mich bis zur Glückseligkeit erhob. Darauf legte er die Ruten beiseite und fragte:

»Wirst du das nächste Mal besser auf die Syntax achten?«

»Ach, Pater«, antwortete ich, »es gibt kein süßeres Mittel, als von Eurer Hand korrigiert zu werden!«

»Du siehst also ein, daß ich zornig werden mußte, und verzeihst mir? Nun gut, dann sei in Zukunft fleißiger! Wenn du dies tust, werde ich dich ebensosehr belohnen, wie ich dich soeben mit der Rute bestraft habe.«

Voller Freude küßte ich ihm die Hand, er umarmte mich, strich mir über meine hinteren Globen und bedeckte mich mit Küssen.

»Da du ja mit deiner Strafe so zufrieden warst, mein liebes Kind«, fuhr er dann fort, »müßtest du eigentlich meine Mühen mit gleichem vergelten.«

»Niemals würde ich mir unterstehen … Hand an meinen Regens zu legen und ihn zu schlagen!«

»Versuch es, er bittet dich darum! Wenn nicht, gebietet er es dir.«

Schamhaft errötend ergriff ich die Ruten, er ließ seine Hose herunter und entblößte seinen Hintern. Nur sehr vorsichtig wagte ich ihn mit den Ruten zu berühren, er aber schrie mir heiser zu: »Stärker, viel stärker! Die Fehler der Lehrer müssen strenger gezüchtigt werden als die der Schüler.«

Ich faßte mir schließlich ein Herz, packte sein Zepter, wie er es mit mir gemacht hatte, und peitschte so heftig auf ihn los, daß ihm vor Vergnügen die Tränen kamen.

Von diesem Tage an herrschte zwischen uns engstes Vertrauen; er täuschte eine Erkältung vor, um jemanden bei sich als Hilfe haben zu können, und ließ also mein Bett in ein Zimmerchen stellen, das neben dem seinen lag, doch niegeschah dies nur der Form halber, denn sobald er sich niedergelegt hatte, rief er mich zu sich, damit ich, von ihm umschlungen, schlief oder wachte. Auf diese Weise wurde er mein Sokrates und ich sein Alkibiades.

Der Reihe nach aktiver und passiver Teil, setzte er seinen Ehrgeiz darein, meine Erziehung zu vervollkommnen.

Als ich vierzehn Jahre alt war, beherrschte ich Griechisch und Latein, besaß Grundkenntnisse in Logik und Philosophie und kannte mich auch schon ein wenig in der Theologie aus. Doch um mich in dieser angeblichen Wissenschaft gründlicher auszubilden, die so oft den Dolch des Fanatismus gewetzt hatte, mußte ich, da Pater Natophilos fast ausschließlich für die schöne Literatur zuständig war, in andere Hände übergehen und meine Studien unter Professor Acontini fortsetzen.

Nichtsdestoweniger behielt ich meine Schlafstätte bei Pater Natophilos, der recht wohl begriff, daß ich, um in meiner neuen Laufbahn besser vorwärtskommen zu können, verpflichtet sein würde, Acontini die gleichen Gefälligkeiten erweisen mußte, und so setzte er mir zuliebe selbst die Artikel des Teilungsvertrages auf. Um für den Kurs in Theologie zugelassen werden zu können, bedurfte es der Zustimmung des Superiors. Natophilos stellte mich diesem vor, und da ich nach seinem Geschmacke war, so blieb mir nichts anderes übrig, als ihm meine Studiengebühr in Naturalien zu entrichten.

In dem nun folgenden Jahre verbrachte ich meine Tage mit dem Studium der Theologie, die Nächte aber, um mir die Gunst meiner Lehrer zu verdienen. Auf Grund meiner Fortschritte hatte ich mir einen Namen gemacht, und mir eröffneten sich schon die glänzendsten Aussichten, als die Katastrophe hereinbrach, die die ›Gesellschaft Jesu‹ vernichtete.

Niedergeschmettert durch diesen Schicksalsschlag, beschlossen Natophilos und Acontini, sich nach Italien abzusetzen; Natophilos jedoch, um mich nicht mittellos zurückzulassen und mir einen Brotverdienst zu verschaffen, empfahl mich Madame de Valbouillant, die für ihren siebenjährigen Sohn einen neuen Hauslehrer suchte, da der bisherige gerade gestorben war.

Mein Ansehen und Aussehen, verbunden mit dem Zeugnis, das meine beiden Lehrer mir ausstellten, waren ausschlaggebend, daß ich trotz meines jugendlichen Alters den Posten zugesprochen bekam.

Bei den Valbouillants

Madame de Valbouillant mochte etwa vierundzwanzig Jahre alt sein, sie hatte perlweiße Zähne, dunkle Augen, eine Stupsnase, üppiges braunes Haar, eine herrlich zarte Haut, einen schwellenden Busen, einen prallen Hintern und Hände von entzückender Schönheit. Mein Zögling war ihr einziges Kind, ihr Gemahl weilte seit sechs Monaten in Italien zwecks Regelung einer Erbschaft, die ihm zugefallen war. Pater Natophilos stellte mich ihr vor und trug auch Sorge, daß ich mit der Kleidung eines Abbé und ein wenig Wäsche ausgestattet war.

Die Dame empfing mich sehr wohlwollend, ja liebenswürdig und versprach Pater Natophilos, mich so zu behandeln, daß zwischen ihr und mir jenes gegenseitige Vertrauensverhältnis entstünde, das meinen Bemühungen um ihren Sohn zugute käme.

Sobald mein Einführer gegangen war, maß mich die Dame von oben bis unten mit einem langen und angeregten Blick; ich aber senkte die Augen und errötete. Ich war wohl imstande, den lüsternen Blicken all meiner Lehrer standzuhalten, doch die einer reichen und vornehmen Frau, von der mein Schicksal abhängen sollte, machten mich schüchtern und brachten mich derart außer Fassung, daß ich es nicht beschreiben kann.

»Was sehe ich denn da!« sagte sie. »Sie erröten? Sollte mich Pater Natophilos getäuscht haben? Sie haben nicht nur die Züge eines jungen Mädchens, Sie sind auch so schüchtern wie ein solches. Vielleicht sind Sie am Ende sogar eines?«

Bei diesen Worten errötete ich noch mehr.

»Na«, fuhr sie lachend fort, »da würde ich ja meinem Sohn einen hübschen Lehrer beibringen! Dessen will ich mich doch erst einmal vergewissern.« Damit griff sie mir unter das Jabot meines Hemdes und tat so, als suchte sie an meiner Brust feststellen zu wollen, ob ich ein Mädchen wäre. Ihre Brüste, die sich fast gänzlich meinen Augen zeigten, versetzten mich in einen Zustand, der ihre Zweifel hinlänglich hätten zerstreuen können. In dieser Situation verlor ich all meine Schüchternheit, nahm ihre andere Hand und drückte sie auf den greifbaren Beweis ihres ungerechtfertigten Verdachtes.

»Oh«, rief sie aus, »wie ich mich getäuscht habe! Sie haben aber auch ein zu hübsches Gesicht! Aber mein Irrtum ist verzeihlich; aber noch so jung ... und schon einen von solcher Größe! Auf Ehre, Abbé, Sie sind ein Ungeheuer!«

»Aber leicht zu zähmen«, erwiderte ich und kniete zu ihren Füßen. »Ich würde mein Leben für das Glück hingeben, nur Ihnen zu gefallen.«

»Ach, mein Irrtum ist in der Tat ärgerlich. Ohne ihn lägen Sie mir nicht zu Füßen! Aber so stehen Sie doch auf... Was für eine Kühnheit!«

»Nein, Madame, ich stehe erst dann wieder auf, wenn Sie mir Pardon gewährt haben, und ich werde ihn erhalten, wenn Sie die Macht Ihrer Reize beschauen; die Wirkung Ihrer Reize auf mich, ich muß es gestehen, ist schier unglaublich ...«

Ihre Augen hefteten sich auf meinen Außerordentlichen, dessen Hochmut dabei sichtlich noch wuchs. In den Augen einer Frau gibt es keinen so beredten Strafverteidiger als einen solchen. Ich bemerkte den Erfolg seines wortlosen Plädoyers, ergriff wiederum ihre Hand und preßte sie auf den Maître.

»Ah, Schlingel!« rief sie aus und legte ihren anderen Arm um meinen Hals. Wie sie mein Gesicht an ihren Busen drückte, fühlte ich sogleich die Bedeutung dieses ›Ah, Schlingel!‹, nutzte die Gelegenheit und die günstige Stellung und wurde so sehr mit Händen und Knien tätig, daß in Sekundenschnelle alle Hindernisse aus dem Weg geräumt waren und die innigste Vereinigung meine Bemühungen krönte. Ihre Augen schmolzen halbgeschlossen dahin, ihr Atem schien unter Seufzern zu vergehen, und ihre Lippen hingen an den meinen. Von Wollust hingerissen, waren unsere Zungen viel zu sehr beschäftigt, um Worte für unsere Verzückungen zu finden; und so blieben wir einige Augenblicke restlos in jener Trunkenheit versunken, indes einen die Sinne unbeschreiblich überwältigen. Mein Erguß erfüllte meine Wünsche, ohne unsere Begierden zu entkräften, und das Haupt mit Myrten geschmückt, ruhte ich nicht eher, als bis ich einen neuen Triumph errungen hatte.

Mein Liebesstreiter, bezaubert von seiner Niederlage und seiner hartnäckigen Tapferkeit, stürzte sich mit Eifer neuerlich ins Gefecht, das, nun weniger rasant, aber stärker genossen, uns in einen Sinnestaumel stürzte. Sobald wir aus diesem Meer von Wonne wieder aufgetaucht waren, bedeckten wir alle Reize, die wir einander durchkostet hatten, mit glühenden Küssen und kamen überein, die strikteste Diskretion gegenüber der Welt und den Domestiken über unser Verhältnis zu wahren, uns aber beim Tête-à-tête der größten Ausgelassenheit zu überlassen.

Jeder Tag enthüllte mir neue Reize bei meiner Eroberung, die sich mir, immer mehr gefesselt durch die Sinnenlust, mit der Zärtlichkeit einer Liebenden hingab. Da das Zimmer meines Zöglings, in dem auch ich schlief, eine Verbindungstür zu ihrem Kleidergemach besaß, so schlich ich mich des Abends, sobald alles im Schlaf lag, in ihren Alkoven, um in ihren Armen meine Liebesglut zu löschen. Noch bevor der Tag graute, kehrte ich auf demselben Weg in mein Zimmer zurück. Ohne irgendwelche Störung genossen wir die Liebe, als Monsieur de Valbouillant, der seine Geschäfte erfolgreich zu Ende geführt hatte, von seiner Reise zurückkehrte.

Ich wurde ihm vorgestellt, aber als er mich sah, schien ich ihm reichlich jung für einen Hauslehrer. Da er das Temperament seiner Frau kannte, zweifelte er keinen Augenblick, daß sie meine Bemühungen nicht ausschließlich nur ihrem Sohn zufließen ließ. Doch war er alles andere als eifersüchtig, im Gegenteil, er hatte in Florenz Geschmack an der sokratischen Liebe gefunden, und deshalb war ich Jüngling für ihn verführerisch. Er glaubte, die Schwäche seiner Frau nutzen zu können, um sich meiner Gefälligkeit zu versichern.

Am Abend gab er vor, unter Kopfschmerzen zu leiden, entschuldigte sich, daß er allein in seinem Zimmer schlafen wolle, und sagte zu Madame, indem er sie zärtlich in die Arme nahm, er hoffe, sie zu entschädigen, sobald diese unvorhergesehene Unpäßlichkeit ihn nicht mehr quälen würde. Sie gab mir daraufhin einen Wink mit den Augen, den ich sogleich verstand. Als ich sicher war, daß er sich zurückgezogen hatte, schlüpfte ich ins Bett meiner Schönen, und wir beeilten uns, eine Gelegenheit nicht verstreichen zu lassen, die sich uns, wie wir glaubten, so bald nicht mehr bieten würde. Doch wir waren kaum beim Werkeln, als wir Valbouillant im Hemd eintreten sahen, in der Hand einen Dolch. Er riß uns die Decke vom Bett, packte mich mit der linken Hand und sagte: »Man betrügt mich nicht ungestraft, doch ich bin kein Unmensch. Trefft Eure Wahl zwischen den beiden Dolchen hier!« Mit diesen Worten hob er den, den er in der Hand hielt, und zeigte mir den, mit dem Jupiter in der Sage Ganymed den Hintern spießte.

Mein Lebenswille ließ mir keine andere Wahl, als mich den herrschenden Umständen zu fügen. Und Madame de Valbouillant, glücklich, sich so glimpflich aus der Affäre gezogen zu sehen, hielt mich in der Stellung zurück, in der ich mich befand, und so wurde ihr Mann der meine. In seinem heftigsten Entzücken mit mir überschüttete er seine Frau mit Küssen und pries ihre Untreue, die ihm eine so köstliche Lust verschaffte.

»Du verzeihst mir doch?« fragte sie und umarmte ihn.

»Wie kann man denn zwei so liebenswerten Missetätern böse sein? Dieser Busen«, sagte er und küßte ihn – sie hatte aber auch einen prächtigen –, »und diese Zwillingshügel hier«, fügte er hinzu und strich mit der Hand über den Altar, auf dem er soeben geopfert hatte, »würden einen Tiger besänftigen. Überdies habe ich, da ich dein Temperament kenne, nicht damit gerechnet, daß du mir während meiner so langen Abwesenheit treu sein könntest. Meine Reise hat mir eine ansehnliche Erbschaft und Hörner auf dem Kopfe eingebracht. Die Erbschaft verschafft mir mehr Gewinn als die Hörner Schaden bringen. Vermeiden wir es, uns dem öffentlichen Hohngelächter auszusetzen, deshalb laßt uns diskret sein und uns bedenkenlos aller Wollust hingeben, die unser Alter und unser Vermögen uns bieten; allein dem Skandal dürfen wir uns nicht aussetzen, alles andere soll uns ein Lächeln kosten.«

Madame de Valbouillant war entzückt über die Art, wie er ihre Untreue hinnahm, und überhäufte ihn mit Zärtlichkeiten.

»Ach, mein Freund, deine Güte überwältigt mich! Nein, niemals im Leben möchte ich dir mehr Anlaß zu irgendwelchen Vorwürfen geben! Von jetzt an verzichte ich ...«

»Halte ein und keine Schwüre! Ich würde dir sowieso kein Wort von alledem glauben. Ich erwarte lediglich Vertrauen von dir, keine Treue, letzteres wäre wohl ein unmögliches Ansinnen. Schau dir nur unseren Abbé da an, wie er strahlt! Ich habe zwar euer Vergnügen unterbrochen, doch will ich euch desselben nicht berauben; also, Hic & Hec, nehmen Sie Ihr Werk wieder auf.«

»Dieser Scherz scheint mir zu bitter, mein Freund, wo du doch siehst, daß ich bereue«, erwiderte Madame de Valbouillant.

»Zu scherzen liegt mir fern«, sagte der Marquis, »denn ich habe dem Abbé das gegeben, was ich dir zugedacht habe. Und es ist nur recht und billig, daß er dich dafür entschädigt. Das Vergnügen, das du mit ihm genießt, kann meine Gefühle nicht verletzen, da es meine Zustimmung findet und meine Augen dieses Bild genießen werden.«

Mit diesen Worten brachte er seine Frau in eine mir bequeme Position und drängte mich, ich solle mich in ihre Arme werfen. Dies alles erschien mir merkwürdig und ließ mich zögern. Er jedoch bestand darauf, und ich gab nach, gestehe aber, daß ich es nur allzugern tat. Hierauf schloß er uns beide in seine Arme und bedeckte uns mit Zärtlichkeiten. Seine Frau, anfangs verlegen, ließ es darauf ankommen, drückte ihm die Hand, gab sich rückhaltlos meiner Leidenschaft hin und kam zur gleichen Zeit wie ich zum gewünschten Ziel.

»Nun, meine Lieben«, sagte Monsieur de Valbouillant daraufhin, »bin ich nicht ein äußerst gefälliger Ehemann?«

Wir antworteten mit neuerlichen Liebkosungen.

»Da, schau dir die Wirkung an«, sagte er zu seiner Frau, »die euer Schauspiel bei mir erregt hat!« Dabei entblößte er sein Liebeszepter, das aufs respektabelste in die Höhe starrte.

»Wie bedrohlich es anzusehen ist!« rief sie.

»Ach, mein lieber Hic & Hec, machen Sie sich darauf gefaßt, doch noch erdolcht zu werden!«

»Aber nein, Madame, diesmal werde ich mit meiner Leidenschaft über Sie herfallen. Sollten Sie mich vielleicht in neun Monaten zum Vater werden lassen, möchte ich nicht die Gewißheit haben, daß das Kind nicht von mir ist.« Mit diesen Worten nahm er seine Rechte als Ehemann wahr und den Platz ein, den ich ihm geräumt hatte.

Monsieur de Valbouillant mochte noch keine dreißig Jahre alt sein, war ausnehmend gut gewachsen, sein frischer, wohlgeformter Körper war blendend weiß; der Anblick seines Hintern gab mir meine Manneskraft zurück. Also stürzte ich mich auf ihn, fuhr mühelos in ihn ein, und da meine Bewegungen seinen Bemühungen sekundierten, konnte er viel tiefer in die glühende Grotte seiner Frau eindringen.

»Ah, lieber Abbé«, rief er aus, »was für eine Wonne, Sie verdoppeln meine Lust!«

Hitzig stieß ich weiter, und bald krönte ein dreifacher Erguß unsere Glückseligkeit. Als wir aus unserem Taumel wieder zu uns gekommen waren, küßte er mich mit zärtlicher Leidenschaft, um mir das Vergnügen zu entgelten, das ich ihm bereitet hatte.

»Sie setzen mich in Verwunderung«, sagte seine Frau, »glaubte ich doch immer, daß beim Hintenrum der Aktive ein lebhaftes Vergnügen auskostet durch den Druck, den er auf dem engen Wege empfindet, doch ist mir unverständlich, wieso der Passive gleiche Lust zu fühlen vermag.«

»Ach, meine Liebe, Sie haben davon keinerlei Vorstellung. Die Rolle des Aufgespießten ist ebenso wonnevoll wie die des Stößers; der Kitzel im Innern ist einfach hinreißend. Ich habe Frauen gekannt, die ihre Liebhaber lieber im Hintertürchen empfingen als auf dem gewöhnlichen Wege.«

»Sonderbar! Und warum haben Sie mich das nie kosten lassen?«

»Ich habe es nicht gewagt, Ihnen das vorzuschlagen. Und ohne den Zufall, wie er sich jetzt zugetragen hat, hätte ich Ihnen vielleicht auch nichts davon erzählt.«

»Ich hätte schon große Lust, es auch einmal zu versuchen, doch fürchte ich, daß es sehr weh tut.«

»Ihr Gatte und ich«, versetzte ich, »wir haben es schon ertragen können, da wir fast noch Kinder waren. Mit ein wenig Pomade wird es schon flutschen.«

»Sie machen mir Mut, obwohl ich mir nicht vorstellen kann, daß ein derart gewaltiges Instrument« – sie gab dem ihres Mannes einen Stups –, »in einem so engen Etui Platz finden sollte!«

»Nichts einfacher als das, mein Herz! Wollen wir deinen Acker urbar machen, müssen wir die Furche zuerst mit der spitzen Pflugschar ziehen.«

Die Prüfung ergab, daß mein Zapfen sich als geeignet erwies, um das Faß anzustechen, und als nach einer Weile des Ausruhens meine Manneskraft wiederhergestellt war, verließen Madame und ich das Bett, und Valbouillant legte sich rücklings darauf. So dann mußte sich Madame auf ihren Mann plazieren, der sie an sich drückte und sie durch florentinische Küsse aufreizte. Auf diese Weise erhob sich ihr Sterz vor meinen Augen und bot mir einen zwiefachen Weg zum Glück. Ich wählte den vereinbarten Weg, den ich durch Pomade genugsam schlüpfrig gemacht hatte.

Aber der Umfang der Pflugschar ließ sie zunächst doch einen kleinen Schrei ausstoßen. Ich unterbrach meine Arbeit für einen kurzen Augenblick, um daraufhin vorsichtig weiter zu ziehen, und nach einigen Sekunden hatte ich die Furche so weit gebrochen, daß die Hälfte meiner Pflugschar im Acker stak. Nochmals hielt ich inne und fragte Madame:

»Tut es jetzt noch weh?«

»Nur noch ein bißchen.«

Also stemmte ich mich auf die beiden Pflugsterzen, sprich Halbkugeln, vor mir und zog mit kräftigem Hin und Her den Boden so tief auf, wie es im Ackerbau allgemein üblich.

»O Gott«, rief sie, »wo bin ich? Mir schwindelt, ich brenne! Ach, solche Wollust, ich zerschmelze, ah ... ah ... ich vergehe ... sterbe ... Gnade, lieber Freund ... ich kann nicht mehr ...«

Auch ich fühlte mich außer Rand und Band; so zog ich meine Schar aus der Furche und stieß sie tief in die danebenliegende, die ich von einem Wollustregen überschwemmt fand.

Auch ich verspritzte dort meinen Schauer, so daß sich beide vermischten und wir auf dem Bett in jene selige Ermattung sanken, die immer auf die genossene Wollust folgt.

»Oh, liebe Freunde«, stammelte Madame de Valbouillant, »wie konnte ich bisher nur leben, ohne ein solch großes Entzücken gekannt zu haben? Großer Gott, wie glücklich das macht, wie unbeschreiblich befriedigt man sich fühlt!«

Valbouillant, der sie während dessen zärtlich wieder in Glut brachte, schlug ihr vor, das Experiment, bei dem sie sich so wohl befunden hatte, zu wiederholen.

»Von Herzen gern«, erwiderte sie, »nur gönnt mir ein wenig Ruhe, ich brauche einige Augenblicke zum Verschnaufen und zur Sammlung nach einem so vollkommenen und für mich so neuartigen Genuß.«

Nach diesen Worten legte sie ihren Kopf auf meine Brust und schlummerte ein. Auch mir fielen die Augen zu, und ich schlief, die eine Hand auf ihrer Hüfte, mit der anderen hielt ich eine ihrer Brüste. Der Marquis folgte unserem Beispiel. So schliefen wir etwa zwei Stunden. Während des Schlafes muß unsere Schöne einen erregenden Traum gehabt haben, denn sie bewegte ihre Hüften hin und her und umarmte mich mit einem Temperament, daß ich auf der Stelle aufwachte. Auch ihr Mann fuhr aus dem Schlaf auf.

»Jetzt bin ich an der Reihe«, sagte er, »sie andersrum zu ergötzen.«

»Einverstanden«, antwortete ich, »aber glauben Sie mir, wir könnten die Lust für sie verdoppeln.«

»Wie das?«

»Ich werde mich auf den Rücken legen und sie auf die natürliche Weise bedienen, während Sie zu gleicher Zeit die schmale Bahn benutzen.«

Beide stimmten begeistert meinem Einfall zu, und so machten wir uns unverzüglich ans Werk. Ich legte mir ein Kissen unter den Hintern, um dort eine höhere Stellung zu haben; meine Heldin legte sich rittlings auf mich, stieß sich dabei meinen Dolch in ihre Scheide und drückte ihre Brust an die meine, so daß ihr Hinterteil sich in der vorteilhaftesten Position für ihren zweiten Kämpen darbot. Dieser zögerte nicht einen Augenblick, mit seinem Rammbock zwischen ihre beiden Bollwerke zu fahren, der sich auch bald eine Bresche geschlagen hatte. Wollusttrunken biß, kratzte und küßte sie mich, lief über und schien mich schier zu erdrücken. Doch welche Wollust mich auch ergriff, so begann ich doch bald meinen Vorschlag zu bereuen, als glücklicherweise durch das Scheuern unserer eifrigen Brunzrüssel an der sie trennenden zarten Scheidewand der seine im beschleunigten Triumph überlief und das Innere des Hintertempels seiner Frau völlig überschwemmte, so daß er aus dem Sattel stieg und mich von seinem Gewicht befreite. Daraufhin erst konnte ich schneller ein- und ausfahren, und indem ich den Begeisterungssaft in den hintersten Winkel der Wollustgrotte verspritzte, verschmolzen für einige Augenblicke die Seele meiner Schönen und die meine. Anschließend gestand Madame, daß sie sich in ihrem ganzen Leben keine so entzückende Vorstellung von solch einer Wollust hätte machen können. Sie drückte ihren Mann und mich vor Dankbarkeit an ihre Brust und meinte, bedauernd seufzend:

»Leider gewährt die Natur dem Menschen zu wenig Kraft, um solche Lust noch länger auszukosten.«

Dies letzte Stechen hatte unsere Körper gänzlich erschöpft. Wir zogen uns also, jeder für sich, in unser eigenes Bett zurück, um in Morpheus' Armen die Erholung zu finden, die wir brauchten.

Jungfer Babet

Am folgenden Morgen wurde ich um elf Uhr von der jungen Babet, einem Taufkind von Madame de Valbouillant, geweckt, die mir ausrichtete, daß die Herrschaft mich zur Frühstücksschokolade erwarte und ich kommen solle, wie ich wäre.

Da ich Gelegenheit haben werde, bald wieder auf Babet zu sprechen zu kommen, werde ich, während sie hier im Zimmer ist, ein Porträt von ihr entwerfen. Sie mochte etwa vierzehn Jahre alt sein, und ihre hochgewachsene zarte Gestalt hätte Albano als Modell dienen können, um die jüngste der Grazien zu malen. Um zwei rosige Knöpfchen, die sich dem Auge wie zwei von der Sonne noch nicht ganz gereifte verlockende Erdbeeren darboten, begannen sich zwei kleine feste Brüstchen zu runden; ihr Gesicht glänzte noch in der Farbe der Unschuld; in ihren Augen konnte man noch die unbekannte Freude an der Liebe ahnen; und der naive Frohsinn, der um ihren halbgeöffneten Korallenmund spielte, ließ zwei entzückende Grübchen in ihren Wangen sehen.

Ich hatte bis dahin kaum Notiz von ihr genommen. Trotz der anstrengenden Nacht, die ich verbracht hatte, ließ mich der Dämon des Morgens nicht ohne Erregung so viele Reize sehen. Babet mußte mir dreimal ihre Bestellung wiederholen, obgleich ich sie wohl bereits beim ersten Mal verstanden hatte.

»Sind Sie es, reizende Babet«, fragte ich sie, schlug meine Bettdecke zurück, um aufzustehen und ihrer Herrin meine Aufwartung zu machen, »Sie, die diese vortreffliche Schokolade zubereitet?«

»Aber ja, Monsieur l'Abbé, ich!«

»Wie sehr möchte ich in diesem Falle die Schokolade sein! Unter Ihren Händen würde ich schäumen!«

»Ein Abbé und schäumen? Das wäre doch allzu spaßig!«

»Aber ganz natürlich.«

»Wollen Sie sich über mich lustig machen? Denn wie könnte das möglich sein?«

»Du wirst es sofort sehen«, sagte ich und zog sie auf das Bett. »Stelle dir vor, das hier wär der Stiel des Quirls!«

»Oh, wie das aussieht! Ach nein, ich will lieber gehen ...«

Und obwohl sie so tat, als wollte sie weggehen und das Gesicht abwenden, bemerkte ich wohl, wie ihr Seitenblick den für sie neuen Gegenstand von oben bis unten genau musterte.

»Man verläßt mich nicht so!« sagte ich und hielt sie mit einem so festen Griff zurück, daß sie das Gleichgewicht verlor und seitlich auf mein Bett fiel, derart, daß, um sich zu halten, sie gerade den Stiel des Quirls zu fassen bekam. Da mir ein solcher Zufall nur allzu gelegen war, behielt ich sie in dieser Stellung.

»O mein Gott, wie hart er ist!« meinte sie, vertraulicher geworden, und betrachtete ihn nunmehr und betastete ihn wohlgefällig.

»Wozu mag er nützlich sein?«

»Um dir, genau wie mir, Freude zu bereiten.«

»Das wäre sonderbar! Und wie?«

»Indem man ihn in die Schokoladenkanne steckt.«

»Die Kanne steht auf Madames Kamin, ich werde gehen und sie holen.«

»Du brauchst sie nicht zu holen, denn du hast alles bei dir, was ich brauche.«

Mit diesen Worten faßte ich unter ihr Kleid, streichelte sie mit einem Finger an einer gewissen Stelle und ließ sie fühlen, welches das Gefäß war, dessen ich bedurfte.

»Wie Sie mich an der ... kitzeln!«

»Wie? An was denn? Sie sind füreinander gemacht, und ihre Vereinigung ist es, die uns die größte aller Freuden bringen wird.«

»Ah, allein Ihr Finger bereitet mir Freude! Wie sonderbar das doch ist! Und Sie meinen, daß das, was ich in der Hand halte, mir noch mehr davon spenden würde?«

»Dafür stehe ich ein, nichts ist damit vergleichbar.«

»Dafür sollte ich ihn vielleicht küssen?«

Und während mein Finger sein liebreiches Werk fortsetzte, begann die unschuldige Kleine, den Stiel in ihrer Hand mit Küssen zu bedecken.

»Oh ...! Ah ...! Welche Lust!« rief sie, verdrehte die Augen und bewegte ihren Schoß. »Ich kann nicht mehr ... ich sterbe ... ach! Ich bin ja ganz naß!«

Mit Wonne verfolgte ich, wie sich die Wollust immer mehr auf ihrem unschuldigen zarten Gesicht widerspiegelte, und ich hätte ihr noch größere verschafft, wenn mich nicht Geräusche draußen auf dem Gang gezwungen hätten, das Spiel zu unterbrechen, mich dieses Vorhabens zu enthalten und die Unterweisung meiner zauberhaften Schülerin auf ein anderes Mal zu verschieben.

»Bis auf heute abend!« sagte ich zu ihr. »Wenn alle im Hause schlafen, werde ich dir alles zeigen. Wünschst du es?«

»Und ob ich es wünsche! Ich bitte Sie sogar darum.«

»Aber kein Sterbenswörtchen zu jemanden über das, was wir gemacht haben! Und vergiß nicht, deine Kammertür nicht zu verschließen!«

»Ich werde tun, wie Sie sagen.«

Sie war kaum aus meinem Zimmer geschlüpft, als Monsieur de Valbouillant eintrat.

»Wie, noch immer nicht aufgestanden, Sie Schlafmütze? So ist es, wenn man Ihnen eine junge Botin schickt. Monsieur haben dann mehr diese als die Botschaft im Kopfe.«

»Ich schlief noch tief und fest, und Babet hatte Mühe, mich wach zu bekommen.«

»Doch hat sie dabei genau die empfindliche Stelle getroffen.«

»Wie meinen Sie das?«

»Aber Sie haben sich dafür auch erkenntlich erwiesen.«

»Was, Sie glauben wirklich, daß ...?«

»Ich habe alles mit angesehen, Sie Schlingel, doch habe ich mich zurückgezogen, weil ich kein Spielverderber bin. Sodann habe ich beim Zurückkommen genug Geräusche gemacht, damit Sie mein Eintreten nicht überrascht. Babet ist wirklich reizend. Seit meiner Rückkehr bin ich ganz versessen auf die Kleine. Ich werde Sie in aller Ruhe Ihren Abstecher machen lassen, aber nur unter der Bedingung, daß sie, sobald Sie sich bei ihr eingeführt haben, an unseren Vergnügungen teilnimmt.«

»So sei es, Monsieur!« erwiderte ich. »Aber lassen Sie mir acht Tage Zeit, um sie dafür vorzubereiten, danach gebe ich sie Ihnen und allen zur liebenswürdigsten Gesellschaft.«

»Acht Tage, pah! Monsieur l'Abbé, wenn Sie in diesem Tempo fortfahren, ist die Zeit zu lang bemessen. Die kommende Nacht, zugegeben! Doch danach wird es Ihnen gefallen müssen, daß sie uns allen gehört. Ich hoffe wohl, daß Sie das einsehen!«

Während dieser Unterredung hatte ich Hose und Strümpfe angezogen und einen Schlafrock übergeworfen; so folgte ich Valbouillant zu seiner Frau in deren Boudoir, wo bereits die Schokolade zum Frühstück bereitstand, die uns Babet kredenzte. Als sie mir die Tasse reichte, errötete sie unwillkürlich.

Der Marquis de Valbouillant gab ihr irgendeinen Auftrag, der sie für einige Minuten entließ. Während sie aus dem Zimmer war, erzählte er seiner Frau von den Spielen, bei denen er mich und ihren Täufling ertappt hatte.

»Wie, Sie Lüstling«, sagte sie, »schon jetzt mir untreu! So nachsichtig wie mein Mann werde ich nicht sein. Entweder ich mache Ihnen einen Strich durch die Rechnung, oder ich werde meine Augen an Ihrem Erfolg weiden.«

»Aber wie wollen Sie es anstellen, Madame, daß sich die Kleine beim ersten Mal vor den Augen anderer hingibt?«

»Das lassen Sie nur meine Sorge sein«, sagte sie »Babet ist noch vollkommen unschuldig, sie hat das vollste Vertrauen zu mir, und sollten die Großtaten der vergangenen Nacht Monsieur l'Abbé nicht außer Gefecht gesetzt haben ...«

»Außer Gefecht?« rief ich und zeigte ihr, daß bei mir alles im Stande war.

»Meiner Treu, Monsieur l'Abbé sind ein Recke! Also ich verlange, daß Babets Jungfernschaft nicht mehr als nur eine Stunde zu leben hat und wir bei dieser Beisetzung zugegen sind. Ich werde schon dafür sorgen.«

»Wie wollen Sie das zuwege bringen, Madame?«

»Zerbrechen Sie sich darüber nicht den Kopf, sondern lassen Sie mich nur machen! Daß alles gut abläuft, dafür bürge ich.«

Es dauerte nicht mehr lange, und Babet trat wieder ein. Die Marquise befahl ihr mit ernstem Ton in der Stimme, doch nicht streng:

»Sage im Hause Bescheid, daß wir ausgefahren wären

und man niemanden vorläßt, dann, Babet, kommst du sofort zurück, da ich dir wichtige Dinge mitzuteilen habe!«

Die Kleine richtete alles aus, dann kehrte sie zurück.

»Setze dich dorthin, Babet!« begann Madame de Valbouillant.

Das Mädchen zögerte.

»Wirst du wohl gehorchen!«

Babet nahm Platz.

Die Marquise fuhr fort:

»Ich bin deine Patin und weiß nur allzugut in der Religion Bescheid, welche Verpflichtungen ich übernommen habe, als ich dich über die Taufe hielt: die Verpflichtung, dich im Leben anzuleiten, dich zu beschützen und, so ich kann, für dich zu sorgen.«

»Das haben Sie immerdar getan, Madame, und meine Dankbarkeit ...«

»Unterbrich mich bitte nicht! Jeder Lebensabschnitt bringt etwas Neues. Seit geraumer Zeit bemerke ich, daß du Busen bekommst.«

»Madame, dafür kann ich nichts!«

»Das war auch nicht als Vorwurf gemeint, doch muß ich wissen, in welchem Zustand er ist.«

Die arme Kleine errötete kläglich.

»Monsieur l'Abbé«, fuhr die Marquise unbeirrt fort, »schnüren Sie ihr das Mieder auf! Da Sie ja ihr Beichtvater sein werden, ist es nur allzu vernünftig, daß Sie selbst urteilen, welche Hilfestellung mein Patenkind nötig haben wird.«

Ich schickte mich an, der Aufforderung Folge zu leisten. Das arme Ding saß verwirrt und sprachlos da und wußte nicht, ob sie nachgeben oder sich sträuben sollte.

»Du bist nun kein Kind mehr«, sprach die Marquise, »deshalb werde ich jetzt zu dir reden wie zu einem erwachsenen Mädchen, doch mußt du dich auch entsprechend verhalten. Ich hoffe, du glaubst nicht, daß ich etwas tun würde oder dich tun ließe, was nicht schicklich wäre! Im übrigen dürfte dir allein schon die Anwesenheit meines Gemahls Beruhigung genug sein. Doch um all deine Verschämtheit zu zerstreuen, will ich dir mit gutem Beispiel vorangehen.«

Mit diesen Worten entfernte sie ihr Fichu vom Dekolleté und entblößte diesen wohlgerundeten Busen, den wir in der Nacht zuvor so sehr gefeiert hatten. Daraufhin ließ Babet alle Verzagtheit fahren und ließ mich aus ihrem Leibchen zwei allerliebste Brüstchen, weiß und fest wie Alabaster, hervorholen. Ich war wie geblendet, da ich sie sah.

»Gut«, sagte Madame und berührte sie leicht, »sie zeigen schon deine Reife an. Wollen sehen, ob das übrige genauso weit ist! Vor einigen Jahren hattest du dort unten noch keine Haare. Ist das jetzt auch noch so?«

»Madame ...«

»Also?«

»Ich wage es nicht zu sagen.«

»Sage es nur und schäme dich nicht!«

»Seit einem halben Jahr ...«

»Und weiter!«

»Ist es mir gekommen ...«

»Nun was?«

»Es ist vielleicht unanständig.«

»Kann das, was die Natur hervorbringt, unanständig sein? Also, Abbé, schauen Sie nach ...!«

Babet geriet bei der ersten Bewegung, die ich machte, in noch größere Verwirrung und zuckte unwillkürlich zurück.

»Was für ein Kind du doch noch bist!« sagte ihre Herrin.

»Muß ich dir auch dabei mit gutem Beispiel vorangehen? Also gut!« Sie hob ihre Röcke und zeigte das braunste und am herrlichsten gekrauste Vlies, das man nur je sehen konnte. Als getreuer Nachahmer, der ich war, entblößte ich bei Babet die sprießende Hecke, die den Eingang des hübschesten Tempels, den die Liebe je geschaffen hatte, umbuschte. Madame de Valbouillant griff mit dem Finger daran, und ihr Kitzeln verursachte dort bald jene süßen Schauer, die zur Wollust führen.

»Die Zeit des Liebesbedürfnisses ist gekommen, und um dafür Sorge zu tragen, mein liebes Kind, ist meine Wahl auf den Abbé gefallen. Also Hic & Hec, führen Sie Babet auf meine Chaiselongue und geben Sie ihr allen Beistand, dessen Sie fähig sind.«

Der Marquis und ich brannten vor Begierde beim Anblick so vieler Reize. Auch die Kleine war erregt, doch die Gegenwart ihrer Herrschaft verwirrte sie einigermaßen und brachte sie zum Erröten. Madame de Valbouillant, die ihrerseits Nutzen aus unserer Erregung ziehen wollte, nahm ihren Mann bei dem, was sich an ihm aufbäumte.

»Komm, zeigen wir dem Kind«, sagte sie zu ihm, »wie sie es machen muß!«

Durch dieses ihr Vorbild überzeugte sie die kleine Unschuld, die ich in die für die Opferung günstigste Stellung brachte.

»Ach, lieber Abbé«, sagte sie und plazierte sich so, wie ich es wollte, auf der Chaiselongue, »wer mir heute früh gesagt hätte, daß ich, ohne tüchtig ausgeschimpft zu werden, Ihnen das preisgeben dürfte, was Sie so lieblich gekitzelt haben, das zu berühren, was, wie Sie sagten, mir soviel Wonne bereiten würde, ich hätte es nicht für möglich gehalten und nicht geglaubt! Wie froh ich bin, eine so gute Patin zu haben!«

Während sie das sagte, nahm ich meine Stellung ein. Die Spitze meines Spießers konzentrierte alle Kräfte, um die bis dahin kalte Kammer aufzubrechen, deren Schamtür den Zugang zur Wollust versperrte. Der Anblick von Madame de Valbouillant, die in diesem Augenblick unter den Stößen ihres Mannes gerade vor Lust außer Rand und Band geriet, stachelte Babets Begierden an und hinderte sie, den meinen zu widerstreben, welchen Schmerz ihr auch meine Stöße bereiten mußten. Diesen Moment der Trunkenheit nutzte ich, umfaßte ihre Hüften, stieß so heftig zu, daß ich alle Breschen durchbrach und meinen Brückenkopf in der Schanze des Gegners einrichtete, der meiner Attacke nachgab.

»Ach, ich bin tot, Grausamer!« stöhnte sie. »Sind das die Wonnen, die Sie mir versprochen haben?«

Ich gab keinen Deut nach.

»Das Schlimmste ist vorbei«, antwortete ich, »hab noch etwas Geduld, liebe Babet, und du wirst merken, daß ich dich nicht getäuscht habe!«

Sie weinte und wimmerte, ich jedoch gewann immer mehr Terrain. Währenddessen hatten der Marquis und seine Frau ihr Liebesstechen beendet und kamen mir zu Hilfe. Die beflissene Patin griff tatkräftig mit der Hand in den Kampf ein und kitzelte an Babets aufgebrachtem Damendegen, der durch seine Härte die Ankunft der Wollust ankündigte; Valbouillant hingegen hatte liebevoll eine der Erdbeeren ihrer Brüste in den Mund genommen und zuckelte an ihr. All das brachte Babet auf den Gipfel der Trunkenheit. Sie vergaß ihren Schmerz, sobald sie unten und oben aufgereizt wurde.

»Ach, mein Gott«, stöhnte sie lustvoll auf, »mir wird ganz anders! ... Was fühle ich? ... ach ... ach, ich sterbe ... Halte mich ... ich vergehe ... ach, du mein Gott!«

Mit dem letzten Wort schienen ihre Augen zu brechen, sie zuckte, wurde steif, und der reiche Erguß bewies mir hinlänglich die Lust, die sie empfand. Ich selbst brauchte auch nicht länger, um meinen Tribut zu entrichten, denn eine gehörige Flut von Lebensbalsam, die ich in sie spritzte, vollendete ihre Glückseligkeit, und sie stammelte:

»Ach, mein lieber, mein göttlicher Abbé, was für eine Lust, welch süßer Nektar!«

Von neuem verlor sie ihre Sprache wie ich meine Kräfte. Ich stand auf vom Kampfplatz, gekrönt mit blutiger Waffe.

»Nun, Babet, wie fühlst du dich jetzt?« fragte die Marquise.

»Es hat mir sehr weh getan, aber es war eine Wonne.«

»Na, die Schmerzen sind auf immer und ewig vergessen, und nur Wonne und Lust werden sich noch einstellen. Die Spitzbübin, von welcher Sturmflut der Wollust sie überschwemmt ist!«

Unter dem Vorwand, die Ordnung von Babets Kleidern wieder herzustellen, zog sie sie splitterfasernackt aus und ließ uns einen Körper sehen, auf den sogar Hebe eifersüchtig geworden wäre.

An der Art, wie Madame de Valbouillant jeden einzelnen der Reize ihres Patenkindes liebkoste, als sie sie so nach und nach entkleidete, erkannte ich sofort, daß sie, bei allem Geschmack nach dem starken Geschlecht, auch eine gierige Anhängerin der Sappho war und sich auch mit einer hübschen Nymphe zu vergnügen wußte, sobald kein Phaon zur Verfügung stand. Ich sah, wie ihr Gesicht vor Eifer glühte, wie ihr Busen wogte, wie ihre Augen funkelten, als ihre Hände über die entzückenden Formen dieses von den Grazien geformten Körpers glitten.

»Wie hübsch sie ist! Welch göttlich frischen Leib sie hat!« rief sie und drückte das Mädchen fest an sich. »Ah, mein kleiner Liebling, ich brenne vor Verlangen, leih mir deine Hand!« Und dabei zog sie die Kleine auf eine Duchesse, fachte die Begierden Babets an, während diese mit noch unkundiger Hand ihr Lustgebüsch durchstöberte.

»Halten Sie bitte Ihre Leidenschaft noch etwas im Zaume«, sagte ich zu ihr, »und entledigen Sie sich der Kleider, die Ihren kommenden Freuden und der Lust unserer Blicke im Wege sind! Reißen Sie sich den lästigen Stoff vom Leibe, der Sie und uns beim Zuschauen stört!«

Sie nickte zustimmend, und mit meiner Hilfe stand sie bald da, nackt wie Diana, die aus dem Bade steigt. Hierauf warf sie sich von neuem auf ihre Beute, klemmte ein Bein derart zwischen die Schenkel des Mädchens, daß sich die Lustwiesen der beiden Streiterinnen brünstig aneinander rieben. Sie hielten sich dabei eng, Brust an Brust, umschlungen; beider Lippen saugten sich einander fest und ließen nur dann und wann nach, um ein Stöhnen der Lust auszustoßen; ihre Lenden bewegten sich auf und nieder, hin und her; die aufgelösten Haare flossen über ihre Körper, die sich durch die wild zuckenden Bewegungen rosig färbten. Nach den glühenden Seufzern, die zu hören waren, hätte man meinen können, Venus lösche während der Abwesenheit von Mars ihre Lust mit Euphrosyne.

Dann aber, mitten in der Bewegung, hielten sie inne, fünf oder sechs schnell aufeinanderfolgende Zuckungen zeigten uns an, daß die Entladung bevorstand, und kurz darauf rieselten ihnen die Freudentränen von den Schenkeln auf den Kampfplatz.

»Ach, liebe Patin; ach, lieber Abbé, wie schön ist es, kein Kind mehr zu sein!« rief die Kleine.

Nach diesem erlösenden Ausruf und einigen Liebkosungen, die die Erschöpfung linderten, wollten unsere beiden Schönen sich wieder anziehen, doch der Marquis, den dieses Schauspiel mehr denn je aufgezäumt hatte, meinte:

»Was denn, soll ich der einzige sein, der diesem reizenden Mädchen kein Vergnügen bereitet hat? So geht das nicht, wenn beliebt!«

Mit diesen Worten schloß er Babet in seine Arme und warf sie wieder auf den Kampfplatz, den sie soeben verlassen hatte.

»Ich kann es ihm nicht verübeln«, sagte Madame de Valbouillant zu mir, »etwas Verführerischeres als sie habe ich noch nie gesehen. Aber sollen wir beide untätig herumstehen und zuschauen?«

»Nein, meine Königin, keineswegs! Haben Sie aber erst die Güte, mir zu gestatten, den Nektar aufzuschlecken, den Sie verströmt haben, um Platz für den zu schaffen, den ich vergießen möchte.«

Sie stimmte dem zu, und meine verliebte Zunge durchstöberte alle Winkel und Ecken der Vorhalle ihres Venustempels, labte sich an diesem göttlichen Likör und entzündete ihre und meine Begierde aufs neue. Hierauf zog ich sie auf mich, und während sie sich meine Genußwurzel in die rechte Stelle pflanzte, gab ich ihr mit meinem genugsam angefeuchteten Finger Rückendeckung im kleinen Nebengelaß. Auf solche Weise verdoppelte ich ihren Begeisterungsgalopp, so daß wir beide gemeinsam ins Ziel einliefen, als auch der Marquis es mit schlaffen Lenden auf der jungen Babet erreichte. Unsere Seufzer verschmolzen, wir lagen eine geraume Zeit unbeweglich und betrachteten ruhig und befriedigt die Schönheit der an uns geschmiegten Körper.

Madame brach als erste das Schweigen, das der Sinnenlust gefolgt war: »Ach, Valbouillant, was ist schon die Ehe im Vergleich zu den Wonnen, deren wir uns erfreut haben!«

»Es ist, wie du sagst, meine Liebe!« erwiderte der Marquis und umarmte Babet, seine Frau und mich. »Ich kann dem Abbé von ganzem Herzen nur dankbar sein, daß er mir Hörner aufgesetzt hat.«

Sodann halfen wir unseren beiden Schönen, sich wieder anzukleiden; das geschah eher ausgelassen als in aller Schicklichkeit. Und nachdem wir Babet ans Herz gelegt hatten, über alles, was wir getrieben, das größte Stillschweigen zu bewahren, gingen wir auseinander. Die Kleine hatte solchen Geschmack an den Freuden der Liebe gefunden, daß sie gewißlich ohne unseren Hinweis und unsere Warnung, solche nicht mehr genießen zu dürfen, ihren jungen Freundinnen unzweifelhaft alles ausgeplaudert hätte, so aber verschloß ihr die Furcht, all der Freuden beraubt zu werden, den Mund.

Sobald ich den Unterricht mit meinem Zögling beendet hatte, führte ich ihn zum Mittagessen mit seinen Eltern. Bei Tisch waren einige mir fremde Personen zu Gast, die sich erstaunt zeigten, daß man mich in meinem jugendlichen Alter zum Hofmeister bestellt hatte.

»Monsieur l'Abbé hat eine ausgezeichnete Erziehung und Ausbildung genossen«, versetzte der Hausherr, »und Madame und ich finden das Vertrauen, das wir in ihn gesetzt haben, bestätigt. Daß er noch so jung ist, bekümmert uns in keiner Weise.«

Diese Antwort ließ alle Bemerkungen seitens der Gäste verstummen. Ich hatte nunmehr während der Unterhaltung etwas von meiner Gelehrtheit anklingen zu lassen und hier und da meine Beschlagenheit in der Literatur zu beweisen, so daß nach Beendigung des Mahles alle Fremden entzückt und des Lobes voll waren von meinen vornehmen Umgangsformen, meinem bescheidenen Wesen wie dem tugendhaften Gebaren, das ich an den Tag legte.

Die Bedenken, die man anfänglich gegen mich gehegt hatte, waren somit gänzlich aus dem Weg geräumt und ins Gegenteil umgeschlagen.

Nachdem alle Gäste gegangen waren, machten wir einen Spaziergang, begaben uns anschließend zum Souper, sodann – mein Zögling war zu Bett gebracht worden – zogen wir uns mit der jungen Babet, die, seit den Geschehnissen vom Morgen, hinfort an all unseren Vergnügungen teilnehmen sollte, ins Boudoir von Madame de Valbouillant zurück. Die Anstrengungen der letzten Nacht und des darauffolgenden Morgens hatten uns veranlaßt, etwas maßvoller in unseren Gelüsten zu sein. Der Marquis fragte mich, wie es komme, daß ich in meinem jugendlichen Alter schon so profunde Kenntnisse in den diversen Arten der sexuellen Ausschweifungen haben konnte. Ich erzählte ihm alles, was zwischen mir und Pater Natophilos vorgefallen war.

»Wie«, riefen alle drei gleichzeitig, »Rutenstreiche waren der Grund Ihrer ersten Gelüste?«

»Ja, gewiß«, entgegnete ich, »und so gewaltig, daß ich der Heftigkeit der Leidenschaften nicht Einhalt gebieten konnte.«

»Dies ist wundersam!« war die Antwort.

»Ja, wundersam, weil es die Wirkung nie verfehlt, auch in dem etwas abgeschlafften Zustand, in dem wir uns augenblicklich befinden, würde es uns aufputschen.«

»Sie scherzen, Monsieur l'Abbé!« meinte die Marquise.

»Keineswegs, Madame! Sie sehen doch meine Demütigung!«

»Pfui doch, Hic & Hec, verbergen Sie dieses Elend!«

»Wohlan, Madame, machen wir die Probe aufs Exempel! Mit Hilfe eines Reisigbesens würde Ihnen meine Genußwurzel binnen zweier Minuten in voller Pracht erstehen.«

»Und sind Sie sich dessen sicher, daß dies die gleiche Wirkung bei meinem Manne zeitigen würde?«

»Dessen bin ich gewiß!«

»Sollen wir es auf eine Probe ankommen lassen?«

»Aber gern!« riefen der Marquis und ich gemeinsam.

Also wurde Babet beauftragt, die Reiser zu holen, die am Abend ganz frisch ins Haus gebracht worden waren. Ich stellte die Reiser zusammen und nahm die stärksten, gab sie ihr in die Hand, entblößte meinen Hintern und sagte:

»Ich stelle mich Ihren Schlägen zur Verfügung. Beginnen Sie ganz sacht, sodann schlagen Sie so kräftig zu, wie Sie können! Sie werden das Resultat bald vor sich stehen sehen.«

Sie machte sich ans Werk, allein die Furcht, mich zu verletzen, ließ sie so gelinde vorgehen, daß ich kaum eine Berührung verspürte.

»Mehr«, rief ich, »stärker!«

Aber sie getraute sich nicht. Die waghalsige Babet jedoch nahm ihr das Bündel aus der Hand und meinte:

»Lassen Sie mich das machen, er wird mir schon sagen, wann es genug sein wird!«

Und mit kräftiger Hand versetzte sie mir einige schnelle derbe Schläge, daß all meine Sinne sich in die ›Niederlande‹ zogen und ich mich dort unten alsobald in der besten Verfassung befand. Madame de Valbouillant, dies sehend, stürzte sich auf mein Liebstöckl, steckte sich die pralle Knospe zwischen ihre weichen schmeichelnden Lippen, saugte und zuzzelte daran mit ihrer liebestollen Zunge und bereitete mir das lebhafteste Vergnügen. Sobald ich meine Säfte steigen fühlte, ließ ich meine Zuchtmeisterin im Stich, die sich sogleich dem Marquis zuwandte, und führte meine Dame auf die haiselongue, legte meine Füße unter ihren Kopf und meinen Mund auf ihr Lustschloß, saugte an ihrer Prinzeßbohne, während ihre zu einem Schmollmund geformten Lippen meinen Saftstiel reizten. Wir genossen einige Minuten die Wonnen dieser Lage, die uns bald eine gleichzeitige Entladung des köstlichen Saftes bescherte, ohne welchen die hintergangene Vorsehung aufhören würde, das menschliche Geschlecht sich fortpflanzen zu sehen. In einem unaussprechlichen Sinnesrausch schluckten wir jeder die Schlippermilch des anderen bis auf den letzten Tropfen. Als unser Rausch verflogen war und wir wieder zur Besinnung gekommen waren, sahen wir den Marquis, auf den die Rutenstreiche gleichfalls die ersehnte Wirkung ausgeübt hatte, mit den Händen die beiden hinteren Halbkugeln Babets umfaßt halten, die ihrerseits ihre Arme um seinen Hals geschlungen und ihre Beine über seinen Hüften gekreuzt hatte und von seinem kraftstrotzenden Schaft gepfählt wurde. Sie war nahe dem Augenblick des Glückes, das wir soeben genossen, doch Valbouillant, der seine Säfte emporsteigen fühlte, trug sie in derselben Stellung zum Fußende des Bettes, warf sich dort mit ihr nieder, und im gleichen Moment ersahen wir an den Stoßseufzern der beiden, wie sie abfuhren, und dann, daß ihr Durst gelöscht war. Ich ging zu den beiden und fragte Babet, wie sie die Aufklärungen, die wir ihr in den letzten beiden Tagen verschafft hätten, fände.

»Bis jetzt war ich unbeseelt, aber nun lebe ich!« antwortete sie. »Allen anderen Gedanken, allen anderen Freuden sage ich adieu; ich möchte nur noch, daß jeder Tag doppelt so lang währte, um jede Minute diese zauberhaften Lektionen zu genießen, die ich jetzt empfangen habe.«

»Sei ehrlich«, fragte Madame de Valbouillant, »hast du dir je etwas vorstellen können, was dem gleicht?«

»Seit einem Jahr fühlte ich unten einen gewissen Kitzel. Ich erzählte davon meiner Tante, um zu erfahren, ob es mir schaden könnte, wenn ich dort rieb, wie ich es schon getan hatte. ›Es würde deiner Seele schaden‹, gab sie mir zur Antwort, ›und es würde dir ewige Verdammnis einbringen, wenn du damit fortfährst.‹ Und da Weihnachten vor der Tür stand, sprach sie darüber mit Pater Tatonet, einem Karmeliter, der mein Beichtvater war. Als ich zu ihm ging, um alle meine Sünden zu beichten, befahl er mir zu warten. Er wollte mich zum Schluß drannehmen, und zwar in der kleinen Kapelle hinter der Sakristei, zu der er den Schlüssel hatte. Und in der Tat führte er mich, nachdem alle anderen Beichtkinder abgefertigt waren, dorthin. Ich sagte mein Miserere auf, ganz wie es die Ordnung verlangt, sodann, da er bemerkte, daß ich zögerte, befragte er mich nach dem sechsten Gebot. Dieser Prüfung verdanke ich das wenige an Aufklärung, das ich bis zu dem Augenblick hatte, als Sie mich unterrichteten. Als ich ihm den Juckreiz und mein Reiben gebeichtet hatte, fragte er mich, und dabei schien er mich mit den Augen auszuziehen:

›An welcher Stelle genau war das?‹

›Leider dort‹, gestand ich, ›etwas unterhalb meines Schnürleibchens!‹

›Das ist gewiß ein Streich des Bösen Geistes‹, meinte er, ›aber ich werde ihm einen dagegen spielen, denn in diesem Becken hier habe ich läuterndes Wasser.‹

Mit diesen Worten feuchtete er darin seinen Zeigefinger an, befahl mir, mich auf seinen Schoß zu setzen, und unter dem Vorwand, mir des Teufels Jucken mit dem geweihten Wasser auszutreiben, befingerte er mich da unten, während ich, auf seine Aufforderung hin, meinen Rosenkranz hersagen mußte. Ich hatte noch keine fünfzehn Perlen hinter mir, da versagte mir bereits die Stimme. Die Wollust, die ich in diesem Augenblick empfand, hielt ich für Segen, der von dem geweihten Wasser herrührte. Er befahl mir darauf, niederzuknien und mit meiner Beichte fortzufahren. Ich sah, wie sich etwas unter seiner Soutane aufreckte, das seine Hand heftig hin- und herbewegte, und kurz darauf zog er diese Hand hervor, um mir die Absolution zu erteilen. Bei dieser Gelegenheit sah ich, daß seine Hand von einem weißen klebrigen Saft bedeckt war, von dem etwas auf meine Hand tropfte. Ich wagte nicht, ihn zu fragen, was das sei. Er verbot mir, jemals wieder Hand da unten anzulegen, trug mir auf, mich während der Novene mit einem Instrument zu kasteien, das er mir übergab und das ›Discipline‹ hieß und eine Art Peitsche mit geknoteten Schnüren war. Ferner erlegte er mir während der Geißelung fünf Paternoster und Ave-Maria zu beten auf. Nach Ablauf dieser neun Tage sollte ich wieder zu ihm zur Beichte kommen, damit er mit der Austreibung des Bösen beginnen könne. Sie wissen, bis zu welchem Grad der religiöse Eifer gehen kann, wenn man jung ist. Ich verdoppelte also die Buße, die der Pater mir auferlegt hatte, und geißelte mich so sehr, wie ich es gerade noch aushalten konnte. Je mehr ich mich an den Schmerz gewöhnte, verwandelte sich dieser in ein Lustgefühl. Ich fühlte, wie mein inneres Feuer bei jedem Schlag mit der ›Discipline‹ immer mehr aufloderte, doch getraute ich mir nicht, mir Linderung mit dem Finger zu verschaffen. Sobald die verordnete Bußzeit verstrichen war, kehrte ich zu meinem Scheinheiligen zurück, der mir wieder in der abgelegenen Kapelle die Beichte abnahm und anschließend meinte: ›Der Böse Geist ist doch hartnäckiger, als ich glaubte. Es reicht nicht aus, ihn mit dem Finger auszutreiben, ich werde wohl einen ganzen Weihwedel dazu benötigen.‹ Ich mußte mich niederknien und die Erde küssen, währenddessen sollte ich, ohne meine Stellung zu ändern, den Psalm Miserere hersagen. Inzwischen wollte er seinen ungeheuren Weihwedel bei mir einführen. Der Schmerz, den er mir dabei verursachte, war jedoch so groß, daß ich einen gellenden Schrei ausstieß und mich auf die Seite warf. Dadurch verlor mein Scheinheiliger seinen Halt und also das Gleichgewicht, daß er auf die Nase fiel und den Boden der Kapelle in seiner ganzen Länge ausmaß. Da Geräusche in der Sakristei zu hören waren, sprang er schnell auf und sagte mir, da ich nun einmal aus Liebe zum Herrgott nicht einmal einen kleinen Schmerz ertragen könne, lasse er alle Hoffnung fahren, mich dem mir innewohnenden Dämon zu entreißen; nichtsdestoweniger sollte ich nach Verlauf einer Woche wiederkommen, in seiner Zelle würde er mir dann die Beichte abnehmen.

Meine Tante, die über mein häufiges Beichtegehen erstaunt war, fragte mich darüber aus, und ich erzählte ihr in meiner ganzen Unschuld alles, was vorgefallen war. Daraufhin verbot sie mir, noch einmal diesen Karmeliter aufzusuchen. Ich wäre noch so unwissend wie damals, wenn Sie sich nicht meiner Unterrichtung in diesen Dingen hätten angenommen.«

Babets Erzählung gab uns Anlaß, um Betrachtungen über die Scheinheiligkeit der Mönche und der Beichtväter anzustellen.

»Wie konnte es nur kommen«, fragte die Marquise das Mädchen, »daß du durch die ›Discipline‹ keinerlei Verletzungen davontrugst? Mir scheint, daß es schrecklich weh getan haben muß.«

»Da haben Madame ganz recht, die ersten Hiebe tun weh; doch beginnt man zuerst sanft zu schlagen, verursacht es ein aufreizendes Feuer, und schlägt man dann so heftig wie möglich zu, bereitet es einem ein solch großes Lustgefühl, daß manchmal meine Wollusttränen ebenso reichlich flossen, wie Madame sie mich hat vorhin vergießen lassen.«

»Hast du die ›Discipline noch?«

»Ich habe sie in meinem Zimmer liegen. Wenn Madame es wünschen, werde ich sie sofort holen gehen.«

Babet verließ das Zimmer, und während sie weg war, geizten wir nicht mit Lobsprüchen über dieses Mädchen, das wie kein anderes die besten Anlagen für jede Art von Liebe bewiesen hatte. Es dauerte nicht lange, und Babet trat wieder zu uns ins Zimmer, in der Hand das Werkzeug der Frömmigkeit.

»Wie verfährt man denn damit?« fragte unverzüglich die Marquise.

Auf diese Frage hin entledigte sich Babet gänzlich ihrer Kleider und begann sich gehörig zu geißeln. Die durch die Hiebe geröteten beiden hinteren Halbkugeln erregten das Mitleid der zuschauenden Dame, die sie bat, einzuhalten in ihrem Tun; jene aber erwiderte:

»Greifen Sie nur einmal hin, Madame! Sie wissen schon wo, dann werden Sie merken, ob ich leide!«

Madame tat es, und im selben Augenblick ergoß sich eine Welle von Lustsahne auf ihre Hand.

»Oh, welche Überraschung!« rief die Marquise. »Und das in so jungen Jahren! ... Wenn dem so ist, möchte auch ich dieses Mittel probieren!«

Kaum gesagt, stand sie schon nackt da, nahm die ›Discipline‹, aber bereits bei den ersten Schlägen, obgleich noch zaghaft versetzt, verzog sie das Gesicht vor Schmerz.

»Lassen Sie mich das für Sie tun!« meinte Babet und nahm ihrer Herrin das Gerät aus der Hand. »Sobald ich Ihren prächtigen Hintern erst einmal leicht aufgereizt habe, werden Sie keinen Schmerz mehr verspüren.«

Madame sagte nicht nein, und schon bald forderte sie die Kleine selbst auf, kräftiger zuzuschlagen. Nicht lange, und sie rief:

»Ich kann nicht mehr, ich stehe in Flammen! Ah, welche Liebesglut ... Hau zu ... mehr ...!«

Dieses Schauspiel vor uns hatte Valbouillant und mir wieder einen Steifen gebracht. In dem Zimmer standen zwei Betten, getrennt durch einen Zwischenraum von etwa drei Fuß Breite. Madame de Valbouillant, die bäuchlings und quer auf einem der zwei Betten lag, bot den Teil, wo der Rücken seinen anständigen Namen verliert, den Geißelhieben Babets dar. Der Marquis nahm den Platz der Zuchtmeisterin ein, ohne jedoch die Stellung der vor ihm Liegenden zu verändern, und stieß seiner Frau seine Feuerspritze, so weit es ging, in den glühenden Ofen. Desgleichen verfuhr ich mit dem Mädchen, nachdem ich sie bäuchlings auf das gegenüberstehende Bett plaziert hatte, so daß bei jedem Stoß, den der Marquis und ich taten, unsere Hintern zusammenprallten und wir dadurch noch kräftiger ins Ziel stießen und den Genuß im Tempel unserer beiden Schönen weit tiefer als gewöhnlich hineintrugen. Madame de Valbouillant, deren sämtliche Sinne sich durch die Geißelung alle an ihrer empfindlichen Stelle konzentriert hatten, floß dreimal über, während es bei ihrem Angreifer nur zu einer geballten Ladung kam. Was nun mich betrifft, mir kam es zur gleichen Zeit wie der reizenden Babet, bei der ich übrigens mit neugierigem Finger den engen Nachbarweg untersuchte. Dabei machte ich die Feststellung, daß sie mir die wünschenswerte Empfindlichkeit für die Wonnen zu haben schien, die ich zu einem anderen Zeitpunkt von ihr erwartete. Die Kleine, überrascht, zwischen zwei Feuer geraten zu sein, rief:

»Mein Gott, was ist das! Wie seltsam ist das! Oje, oje,

ich fühle es hier wie dort! Ich kann nicht mehr, ich vergehe …!«

Das waren die letzten gestöhnten Worte, bevor die Wogen der Lust über ihr zusammenschlugen.

Wir fühlten uns so befriedigt von diesem Quartettgenuß, daß der Beschluß gefaßt wurde, des öfteren im Viereck zu verfahren. Madame de Valbouillant konnte gar kein Ende finden, Lobpreisungen auf die Ruten, diese schlagenden Beweise, auszubringen, aber auch ihr Mann schwor, sich noch nie halb so brunstig befunden zu haben wie bei diesem Spießrutenlaufen. Babet und ich, die wir das Schinkenklopfen schon länger kannten, wir waren entzückt, daß die beiden anderen einen solchen Geschmack daran gefunden hatten. Das Resultat dieser allgemeinen Begeisterung war, daß sich ein jeder mit einer Handvoll Reiser bewaffnete und einer den anderen derart durchwalkte, daß die Kehrseiten unserer Schönen kirschrot anliefen und die unsrigen von blutenden Striemen überzogen waren. Wir vier waren jedoch von einer solchen sinnlichen Raserei beherrscht, die uns voll und ganz für die geringen Schmerzen entschädigte.

»Versuchen wir«, rief ich den anderen zu, »den größten Nutzen aus unserem seligen Zustand zu ziehen und ihn so lange wie möglich zu verlängern. Sobald wir entladen haben, laßt uns unterbrechen und uns zurückziehen. Wir werden dann auf den Kampfplatz zurückkehren, wenn sich unsere Sinne ein wenig beruhigt haben.«

Unsere Schönen setzten sich Seite an Seite auf eine Bettkante, und wir, wir stellten uns zwischen sie, während sie ihre Beine um unsere Hüften schlangen. In dieser vortrefflichen bequemen Lage waren wir Herr über all ihre Reize. So konnten wir, ohne uns ins Gehege zu kommen, die Liebesäpfel der einen wie der anderen streicheln, ihnen auch unsere ›Pistole‹ auf die Brust setzen, und selbst unsere Münder konnten diese mit Küssen überhäufen und an den Begeisterungsknöpfchen knuspern, ohne daß die wesentlichen Teile sich verrückten, im gewissen Sinne auch wieder verrückt wurden. Ich hielt ein, als ich meine Säfte bis oben hin steigen fühlte, und hielt auch Valbouillant zurück, hörte ich doch, wie seine Stoßseufzer den fälligen Erguß ankündigten.

Nachdem wir so etwa eine Stunde auf allen Tastaturen gespielt hatten, sagte ich zu ihm:

»Lassen Sie uns doch die Plätze wechseln!«

Er entwand sich den Armen und Beinen Babets und ging in die seiner Frau, die ich wiederum verließ, um mich um die Kleine zu kümmern. Unsere beiden weiblichen Mitstreiter jedoch, weniger sparsam, weil besser bei Kasse, hatten mehrmals ihrem Wonnekleister freien Lauf gelassen; und schließlich, um nachzuholen, was geht, und da doch alles einmal ein Ende haben muß, bohrte ich den Mittelfinger meiner linken Hand in den Hinterkasten des Marquis, und er, nicht begriffsstutzig, erwies mir denselben Dienst mit seinem rechten. Dies Übermaß an Sinnenkitzel führte uns bald an das gewünschte Ziel; doch da wir uns bei unseren Partnerinnen so lange wie möglich zurückgehalten hatten, fiel unser Überfluß reichlicher aus als je. Alle waren wir dermaßen erschöpft, daß wir gerade noch Kraft fanden, in die Betten zu finden, da wir der Ruhe nur allzu bedürftig waren.

Nichtsdestoweniger gingen wir am Abend des folgenden Tages, zwar gestärkt durch Kraftbrühen und andere stärkende Mittel, die jedoch nur teilnahmslose Küsse und einiges pflichtgemäßes Fingerspiel gegenüber unseren beiden Schönen zustande brachten, die mehr von uns erwartet hatten, wieder zu Bett, um neue Kraft zu schöpfen.

Am dritten Tage kam unseren beiden Partnerinnen die Post vom Spielwiesenschoner, die unserer Ruhe für einige Zeit zustatten kam, doch Madame de Valbouillant, die wir im Darmzupfen unterwiesen hatten, gab uns zu bedenken, daß, wenn die Toreinfahrt versperrt war, immer noch der Hintereingang offenstand. Wir instruierten Babet von diesem Noteingang und ließen sie die prächtige Art der hinteren Einfahrt kosten.

Neuer Zugang

Doch nun zur Tante von Babet! Sie fand ihre Nichte von jetzt an aufgeweckter, gewitzter, unbeschwerter und weniger vertraulich, was den genannten Juckreiz betraf. Sie ahnte zum Teil, was mit ihr geschehen war; und da sie freien Eingang zum Hause Valbouillant hatte, suchte sie sich ein Versteck zur Beobachtung unserer Orgien. Was sich ihren Augen und Ohren bot, ließ ihr keinerlei Zweifel mehr. Sie war gebürtige Italienerin, mithin abergläubisch, kleinmütig und rachsüchtig. Allerdings wagte sie nicht, offen gegen den Marquis de Valbouillant vorzugehen, denn sie bedachte seinen Reichtum und fürchtete seinen Einfluß. Deshalb glaubte sie, daß es ihr gelänge, sich zu rächen, indem sie sich des Bischofs der Stadt versicherte, den sie um eine Privataudienz bat, bei der sie ihn über unsere Freuden zu viert unterrichtete und ihm anbot, selbst Augenzeuge unserer Ausschweifungen zu sein. Ihr genauer Bericht ließ den scheinheiligen Bischof das Wasser im Munde und noch woanders zusammenlaufen und reizte seine Neugierde. Die Tante führte den Priester in ein kleines Kabinett, das neben dem Schlafzimmer der Marquise lag und eine Tür mit Fenster hatte, durch das er mit lüsternen Blicken das ganze Geschehen verfolgen konnte.

Dies war wenige Tage nach der Schonzeit unserer Schönen. Um das Ende dieser Diät besser feiern zu können, hatten wir alle Hüllen fallen lassen; es herrschte eine angenehme Wärme im Zimmer, und wir befanden uns im Aufzug wie Adam und Eva im Garten Eden. Unsere stolzen Schlangen reckten herrisch ihre Köpfe, und der Anblick, den die Äpfel unserer beiden Evas uns boten, ließ uns vor Verlangen erschauern. Wir probierten viele verschiedene Stellungen, und die Erfüllung des letzten Genusses aufschiebend, konnten wir unsere Instrumente scharf halten, Babet, rücklings auf einem Bett liegend und die Beine um meine Hüften geklammert, war außer sich vor Lust und preßte in ihren heißen Milchtopf meinen flotten Schaumschläger, den ich mit einer Behendigkeit hineintitschte und herauszog, daß es sie bald an den Rand des Überkochens brachte. Der Marquis indessen kehrte seiner Frau, die auf dem nämlichen Bett lag, den Keller und vermehrte deren Wonnen dabei, in dem er mit diensteifrigem Finger auch die Lustklinke ihrer Vordertür putzte.

Ehrwürden platzte vor Aufregung fast aus allen Hosennähten, und Babets mißvergnügte Tante zog ihn am Ärmel und rief:

»Monsignore, wie grauenhaft!«

»Wie wollüstig!« stöhnte dieser außer Atem.

Wir hörten diese Ausrufe, und der Umstand ließ uns, ohne daß wir uns verabredet hatten, gemeinsam zu dem klugen Einfall kommen, aus unseren Pupillenverrenkern Mitstreiter zu machen. Unsere beiden Schönen bemächtigten sich der alten Tante, warfen sie ohne Federlesen auf das Ruhebett, hielten die Zappelnde dort fest, und ich stürzte mich, tapfer wie einstmals Curtius, auf sie und zum Wohle aller in diese alte Tasche.

Monsignore war Italiener, meine Stellung und mein Hinterkasten, der sich seinen Blicken darbot, ließen ihn keine Sekunde zögern: Er fühlte sich wie Jupiter und nahm mich als Ganymed. Und der Marquis, um das Bild zu vervollständigen, stattete ihm das zurück, was jener mir pumpte. Indessen hatte Babet, die sah, wie ihre Tante vom Gewicht dreier Personen niedergehalten wurde, so daß sie das ihr so unverhofft widerfahrende Glück nicht verhindern konnte, Babet hatte also eines der Rutenbündel, womit wir immer versehen waren, in die Hand genommen und bestrich mit diesem den Blanken ihres Herrn, währenddessen seine Frau sich rücklings auf den freien Platz des Bettes ausgestreckt hatte, uns dabei den Schatz ihres Alabasterbusens und ihre Elfenbeinschenkel sehen ließ und mich einlud, meinen Goldfinger durch ihr ebenholzschwarzes Lustgebüsch in sich aufzunehmen. Ich tat dies, ohne die Bresche der alten Zitadelle, wo ich mich eingenistet hatte, verlassen zu müssen.

»Gütiger Gott!« rief diese unter mir und bewegte das Scharnier. »Ach, süßer Jesus, warum muß das eine Sünde sein!«

»Sag lieber ›Welches Glück‹«, rief der Priester, indem er die Bewegungen Valbouillants an mich weitergab. »Nichts kommt der verbotenen Frucht gleich!«

»Ich verfalle der ewigen Verdammnis!« erwiderte die Alte und wackelte weiter mit dem Steiß.

»Mach nur weiter, ich kann dir auch für die schwersten Sünden Absolution erteilen!«

Dies hörend, war die Alte zufrieden, preßte mich in sich hinein und tobte sich an mir aus, daß alle meine Dämme brachen und ich eine Sturmwelle verspritzte, die sie mir doppelt zurückgab. Der Bischof und der Marquis, die beiden Darmputzer, trafen zu gleicher Zeit ins Schwarze. Madame de Valbouillant, die schon vor uns fertig geworden war, stand vom Bett auf und beglückwünschte mit Babet die alte Tante zu dem unerwarteten Glück, dessen sie teilhaftig geworden war. Es gab zuviel Zeugen der

Wonne, die sie dabei genossen hatte, als daß sie es hätte ableugnen können. So ließ sie sich also von ihrer Nichte küssen und gab ihr lediglich den Rat, daß kein Fremder von ihrem Tun jemals etwas erführe.

»Nur keine Sorge«, versetzte ich, »Sie haben ja am eigenen Leibe verspürt, wie wir den Neugierigen all ihre Münder stopfen!«

»Ich glaube nicht, daß dies die richtige Art und Weise ist, jene zu belehren«, meinte der Prälat.

Von dieser Stunde an herrschte zwischen uns vollstes Einverständnis, und alles Eis war gebrochen, jeder Zwang abgestreift. Der Prälat wurde die Seele unserer Orgien. Die vielen Jahre, die er in Italien gelebt hatte, hatten ihm eine tiefschürfende Theorie aller Arten der Liebeslust verschafft, und seine ungewöhnlichen Kenntnisse mit der Praxis verbindend, ließ er uns mit Erfolg dreißig Stellungen kosten, die der Darstellung durch den Pinsel eines neuen Clinchetet würdig gewesen wären. Der Marquis de Valbouillant befand sich in einem Sinnenrausch, und seine Frau machte dem heiligen Mann den Vorschlag, ihr dies alles auf die natürliche Art entgelten zu wollen. Die Höflichkeit gebot ihm, dieses Anerbieten nicht abzulehnen. Um ihm für seine Gefälligkeit den gebührenden Lohn zu verschaffen, putzte ich seinen Keller, während er am Werke war. Babet, auch nicht müßig, legte sich auf den Marquis, der sich ziemlich nahe rücklings auf das Bett geworfen hatte, und bot den lüsternen Blicken des ehrwürdigen Vaters ein wohlgekurvtes Wonnegebirge, das selbst Ganymed eifersüchtig gemacht hätte. Die Tante, um nicht untätig zu sein, streichelte mit der einen Hand Monsignores Brunzkugeln, während sie mir mit der anderen kurze, kräftige Schläge mit einem Rutenbündel versetzte, wodurch ich zwar tiefe Striemen an meinen Hüften davontrug, was aber nichtsdestotrotz meine Stöße verdoppelte.

»Na, Ehrwürden«, fragte der Marquis in dem Augenblick, als er den Höhepunkt der Wollust kommen fühlte, »wie finden Sie meine Frau?«

»Im Paradies würde sie der heiligen Magdalena die Kunden abspenstig machen.«

Da es bereits spät am Abend war, zog sich der Bischof wieder an, überschüttete uns mit Liebkosungen und dankte, bevor er in sein Palais zurückkehrte, Babets Tante für die Genüsse, die sie ihm durch ihre Sorge und Gewissensqualen um Babet verschafft hatte. So schenkte er ihr, bevor er das Haus verließ, noch die Lustprothese, die ihm eine von ihm protegierte Äbtissin als Modell übergeben hatte mit der Bitte, ihr ein halbes Dutzend davon für den Dienst in ihrem Kapitel anfertigen zu lassen. Die gute Tante zierte sich zuerst, nahm diese dann aber doch an, und wir sahen es ihren Augen an, daß sie von dieser Devotionalie ausgiebiger Gebrauch machen würde als vom Rosenkranz.

Wir nahmen ein leichtes Mahl zu uns und legten uns sodann zum Schlafe nieder, nicht jedoch, ohne vorher sehr herzlich über das der alten Tante widerfahrene Glück gelacht zu haben.

Am nächsten Tage, ich war kaum aufgewacht, überbrachte man mir einen Brief des Bischofs, der folgendermaßen lautete:

Meine Beförderung

›Auf den vorteilhaften Bericht hin, Monsieur, der Uns zu Ohren gekommen ist, über die Beflissenheit, die Sie bei der Ausübung Ihrer Studien an den Tag gelegt haben, über die Fortschritte beim Studium der Philosophie, der Wissenschaft der Natur sowie der Sittenlehre, und nicht zuletzt der Fähigkeiten, die Sie zu den größten Hoffnungen für die Theologie berechtigen, halten Wir es für Unsere Hirtenpflicht, ein aufgehendes Licht wie Sie nicht weiter unter dem Scheffel stehenzulassen und dieses Ihr Licht in den Leuchter zu stecken. Um Ihre Talente sogleich zu fördern und zu mehren, bieten Wir Ihnen bei Uns die Stelle eines Vorlesers an und werden es Uns angelegen sein lassen, für Sie zu sorgen, bis eine vorteilhafte Pfründe als Belohnung für Ihre Verdienste gefunden ist. Die Erziehung des Sohnes von Monsieur de Valbouillant kann anderen Händen anvertraut werden, denn es würde einem Diebstahl an der Heiligen Mutter Kirche gleichkommen, ihr eine Person vorzuenthalten, die zu ihrem Ruhm beizutragen berufen ist. Durch Unseren Einfluß und Rat hin begünstigt und befördert, werden Sie nicht allein das Amt des Vorlesers erfüllen, denn Uns liegt sehr ein Werk am Herzen, dem Wir Uns mit brennendem Eifer widmen, und Sie werden dabei Unser Mitarbeiter sein. Wir halten dieses Anerbieten für zu vorteilhaft, daß Sie es ablehnen könnten. Die guten Dienste, die Sie Monsieur und Madame de Valbouillant leisten, können Sie dabei fürderhin verrichten, sind es doch hochangesehene Personen, deren Lebenswandel Wir sehr schätzen. Wir werden Sie mit allen uns zur Verfügung stehenden Kräften unterstützen.‹

Das Anerbieten war für mich in der Tat von Vorteil, doch bedauerte ich zutiefst, die gute Madame de Valbouillant, die kleine Babet und auch den Marquis verlassen zu müssen; sie liebten mich so sehr; sie hatten mir so lebhafte, so abwechslungsreiche Wonnen bereitet ... Ich brachte ihnen also den Brief zum Lesen und legte die Entscheidung, ob ich annehmen oder ablehnen sollte, in ihre Hand. Sie waren ebenso bekümmert wie ich, doch den Wunsch eines Bischofs abzuschlagen in einem Lande, wo eine allmächtige Kirche herrschte, war zu gefährlich. Somit entschlossen wir uns, daß ich in den Dienst Seiner Ehrwürden treten, aber alles daransetzen sollte, mich so oft wie möglich beurlauben zu lassen, um mit ihnen alle Freuden zu genießen, mit denen ich sie bekannt gemacht hatte.

Ich übermittelte dem Bischof meine Antwort nicht schriftlich, sondern zog mich mit aller Sorgfalt an und trat bescheiden und mit gesenktem Blick vor den heiligen Mann.

Sobald ich vor ihm stand, forderte er mich würdevoll auf, in eines seiner Privatgemächer zu gehen. Er beeilte sich, den Fiskal und den Offizial, die sich mit ihm in irgendeiner Angelegenheit der Diözese beraten wollten, loszuwerden, sodann kam er zu mir, nachdem er sich ausdrücklich erbeten hatte, ihn nicht eher zu stören, bevor er klingle. Kaum waren wir allein, ließ er all sein bischöfliches Gehabe fallen, umarmte mich leidenschaftlich und meinte:

»Nun, mein lieber Hic & Hec, werden wir zusammen leben oder nicht?«

»Monsignores Wunsch sind mir Befehl.«

»Gut also, dann nehmen Sie sogleich Ihren Dienst als Vorleser auf!«

Er überreichte mir das ›Satyricon‹ des Petronius aufgeschlagen an der Stelle, wo die aufreizende Sommerliebesszene geschildert wird, ließ mich auf einen Stapel Betkissen knien und machte mit mir beim Vorlesen das, was er hörte. Und er trieb die Szene, bis sich alles auflöste. Anschließend nahm er das Buch und meine Stellung ein, und ich lieferte ihm den Beweis, daß ich ebenso attackieren wie einen Angriff auszuhalten vermochte. Nachdem dies geschehen, brachten wir unsere Kleider wieder in Ordnung; er ging zu seinem Schreibtisch, auf welchem einige Werke der Kasuisten lagen, setzte sich und ließ auch mich Platz nehmen, klingelte dann nach dem Bruder Kammerdiener und ließ bitten. Mehrere Personen, Großvikare und andere, wurden hereingeführt. Er jedoch sagte zu mir, als würde er in einem Gespräch fortfahren:

»Ich bin mit Ihnen sehr zufrieden. Die Grundsätze, die Sie vertreten, teile ich. Sie sind sehr beschlagen in der besagten Materie, noch einige Jahre der Arbeit, dann werden Sie ein zweiter Sanchez sein. – Messieurs«, wandte er sich an die Anwesenden, »wir haben da einen jungen Bruder vor uns, der zu den größten Hoffnungen berechtigt. Seit einer Stunde schon, da ich ihn allseits examinierte, um mich seiner Anlagen zu versichern, habe ich ihn nicht einen Augenblick verlegen oder von Fehlern befunden. Seine Argumente sind schlagkräftig, und er weiß sich vor allem gegen andere zu behaupten. Aus diesem Grunde bin ich zu dem Schluß gekommen, daß er einmal für unsere Heilige Mutter Kirche Ruhm und Ehre einlegen wird. Ich habe ihn zu meinem Vorleser gemacht, und nach dem Mittagessen werde ich ihm die vier ›niederen Weihen‹ geben. Bekommt man schon einmal ergebene

Diener zu Gesicht, soll man sie auch nicht lange warten lassen.«

Alle Anwesenden überhäuften mich, um ihrem Oberhirten zu gefallen, mit Lobessprüchen. Ich hingegen hüllte mich in den Mantel jener heuchlerischen Bescheidenheit, der einem jungen Mann bei anderen so gut ansteht, von dem sich jedoch die scharfsichtigen Leute täuschen lassen.

Nach dem Essen löste der Bischof jedes seiner Worte ein; somit ward ich Subdiakon, ohne je ein anderes Seminar besucht zu haben als das auf Monsignores Betkissen und das Boudoir von Madame de Valbouillant.

Der Prälat gestattete mir übrigens, dieser Dame meinen Besuch abzustatten, um ihr von meiner Beförderung Mitteilung zu machen. Er rief mich jedoch noch einmal zurück und flüsterte mir zu:

»Ich werde nachkommen, so bald ich mich von diesen lästigen Schmeißfliegen hier befreit habe. Geben Sie den Valbouillants darüber Bescheid, damit wir dann nur noch unter uns sind!«

Ich verneigte mich voll Demut und ging.

Voller Freude wurde ich im Hause Valbouillant empfangen. Monsieur und seine Frau bestürmten mich mit Fragen, die ich, so gut ich es vermochte, beantwortete. Ich erzählte ihnen, auf welchem Wege ich die Weihen erhalten hatte, und fügte hinzu, daß der Bischof, sobald er frei sei, es sich angelegen sein lassen würde, ihnen selbst mitzuteilen, was er für ihren Schützling getan hätte.

Babet, die herbeigeeilt war, als sie hörte, ich sei da, überschüttete mich mit Küssen; und wenn ich gekonnt hätte, wie ich wollte, so hätte ich keinen Augenblick gezögert, ihnen allen drei für die Anteilnahme, die sie für meine Beförderung bezeigten, meine Dankbarkeit durch Taten zu beweisen; doch die Ungewißheit, wann der Prälat nachkommen könnte, und die Absicht, ihm eine richtige Orgie zu bereiten, ließen uns unser Verlangen aufschieben. Wir mußten aber nicht lange auf ihn warten. Sobald er angekommen war, wurden die Türen für jedermann geschlossen, dann sprach man ihm Dank aus, machte ihm jedoch auch Vorwürfe (denn was er für mich tat, entschädigte nicht für das, was man während meiner Abwesenheit versäumte). Der heilige Mann versprach, daß ich sie oft besuchen dürfte und er mir mit Saft und Kraft beistehen wolle, um ihnen die Zeit so angenehm wie möglich zu vertreiben. Nach diesem gegenseitigen Komplimentieren ließ man Babet kommen, die sich bei Monsignores Ankunft erst einmal zurückgezogen hatte, und da das Wetter sommerlich warm war, entledigten wir uns auf Vorschlag des Prälaten aller unserer Kleider und versetzten uns also in den Zustand, wie sich unsere Ureltern im Garten Eden befunden hatten, bevor der besagte fatale Apfel sie belehrt hatte, daß sie splitterfasernackt waren.

Beschaute man sich Madame de Valbouillant, hätte man meinen können, daß sie die Wollust im Ornat der Frische war; was ihrer Figur an Leichtigkeit und Grazilität abging, wurde wettgemacht durch die Zartheit ihrer Haut, ihr dralles und griffiges Fleisch, den Reiz ihrer wohlgeformten Rundungen sowie das Temperament, das ihre glänzenden Augen und ihre sinnlichen roten Lippen verhießen.

Um Babet zu beschreiben: Sie wäre würdig gewesen, für Albano oder Boucher Modell zu stehen als jüngste der Grazien. Ihre biegsame zierliche Gestalt hatte noch nicht die Vollkommenheit weiblicher Formen, aber man merkte bereits, daß keine zwei Jahre vergehen würden und sie jene Rundungen besitzen würde, die man in solch zartem Alter noch nicht antrifft. Pechrabenschwarzes Haar, das ihr in dicken Locken bis zu den Knien reichte, hüllte sie in einen natürlichen Schleier, der ihre Formen und Reize mehr verriet als bedeckte. Der Prälat konnte sich angesichts dieses Lustkörpers nicht mehr zurückhalten; Babet war die erste, die seine Huldigung empfing.

Nachdem der Bischof das Startzeichen für unsere Orgie gegeben hatte und wir eines Augenblicks der Ruhe bedurften, meinte er:

»Nehmen wir die Gelegenheit wahr, die Unterbrechung, die uns die Natur auferlegt zwischen der Erschöpfung und der Auferstehung der Kräfte, durch eine amüsante Geschichte auszufüllen! Ich werde Ihnen in der Zwischenzeit von einem Erlebnis berichten, da ich noch Seminarist war.«

»Erzählen Sie, wir hören zu!«

Wir setzten uns im Kreise um den Prälaten und harrten der Erzählung, die er zum besten geben wollte.

Des Bischofs Erzählung

»Ich war sechzehn Jahre alt«, begann er, »und war ein recht hübscher junger Mann. Meine Tante, in deren Haus und Besitz ich gewöhnlich meine Ferien verbrachte, machte sich bei Gelegenheit ein Vergnügen daraus, mich als Mädchen zu verkleiden und dabei die Kleider von Faustine, ihrer Tochter, anziehen zu lassen, die in meinem Alter war. Cousine Faustine hatte eine Wespentaille, und im Wuchs und in der Grazie ähnelte sie sehr der liebenswerten Babet. Diese Verkleidungen hatten zwischen uns beiden eine Vertraulichkeit und eine Freiheit aufkommen lassen, die wir nicht versäumten, zu unserem Vorteil auszunutzen. Faustine hatte ein Temperament wie unsere Babet, ich brannte immer gleich lichterloh wie Hic & Hec. Meine Tante hegte nicht das geringste Mißtrauen; außerdem hatte sie mit ihrem Beichtvater zu tun, der ihr die Langeweile der Witwenschaft vertrieb, ja, wenn er einige Tage auf das Schloß zu Besuch kam, hatten wir noch mehr Freiheit als sonst, denn die Tante wünschte die frommen Aufmunterungen des heiligen Mannes in völliger Ungestörtheit zu genießen.

Meine Cousine und ich fuhren dann oft in einem leichten zweirädrigen Einspänner auf die benachbarten Landgüter spazieren, und es war uns sogar erlaubt, manchmal dort zu übernachten, denn diese Landsitze gehörten Leuten, die mit der Tante befreundet waren.

Eines Tages nun, als sich wieder einmal der Gottesmann

bei der Tante einquartiert hatte, kam es meiner Schwester (so nannte ich damals Faustine) und mir in den Sinn, auszufahren. Ziel war die Quelle oder Fontaine de Vaucluse, die uns interessierte. So erzählten wir meiner Tante von unserem Plan und sagten, daß wir auf der Rückfahrt, etwa auf halber Distanz, bei einer alten Verwandten von ihr übernachten wollten, die sie sehr in ihr Herz geschlossen hatte.

Wir fuhren also los, und nach zwei Meilen hielten wir an einem Wirtshaus an, das an der Straße lag, um dort zu Mittag zu essen. Während man uns das Essen zubereitete, kam mir der Einfall, mit Faustine die Kleider zu tauschen, die mir am Tage zuvor so sehr gefallen hatten.

›Gern, Bruder‹, sagte Faustine, ›wenn ich dir damit eine Freude bereite, aber ich habe meine Zofe nicht hier. Wie wollen wir das dann bewerkstelligen?‹

›Nichts leichter als das, denn ich werde dir helfen.‹

›Schon, aber das ist nicht schicklich!‹

›Wer sollte schon davon Kenntnis bekommen? Du mißtraust mir doch nicht etwa, Schwester?‹

›Nein, nicht im geringsten! Aber dennoch möchte ich nicht, daß du mich siehst, wie ich ganz und gar ...‹

›Wie du beschaffen bist, nicht wahr? Aber, aber! Ich kann es mir schon vorstellen.‹

›Das glaube ich schon, doch ...‹

›Du kannst dir ja auch vorstellen, wie ich beschaffen bin.‹

›Ein bißchen schon, aber wirklich nur ein bißchen.‹

›Und wer oder was hindert uns, unsere Neugierde zu befriedigen?‹

›Doch Mama ...‹

›Glaubst du denn, daß sie sich vor Hochwürden Pater Cazzoni geniert?‹

›Oh, ich möchte meine Nase nicht in ihre Geheimnisse stecken!‹

›Ebensowenig werden wir ihr etwas von unseren erzählen. Also schnell, streif deine Kleider ab und schnüre dein Leibchen auf!‹

›Versprich mir aber, daß du brav bleibst!‹

›Ich verspreche es, doch ich will alles sehen.‹

›Na gut, wenn ich alles bei dir sehen kann!‹

›Herzlich gern, doch du wirst zu niemandem ein Sterbenswörtchen sagen?‹

›Nein, nie! Du aber auch nicht?‹

›Ich schwöre es dir!‹

Also begannen wir, uns mit fieberhaftem Eifer auszuziehen. Ich riß mir die Soutane vom Leib, sie streifte ihr Busentuch und das aufgeknöpfte Mieder ab. So standen wir mit nacktem Oberkörper da und betrachteten uns.

›Ach, Faustine‹, rief ich, ›was für zwei entzückende Halbkugeln du da hast! Und die beiden Knöpfchen drauf, wie die Pole! Sie sind so frisch und so schön rot! Und die blauen Äderchen überall, sie lassen den Glanz der Alabasterkugeln noch mehr prangen.‹

Die Worte erstarben mir vor Begeisterung auf den Lippen, dafür liebkoste ich mit ihnen die entzückenden vorstehenden Beeren.

›Laß das, lieber Bruder, du bringst mich ganz aus der Fassung ...! Wenn du so weitermachst, kann ich mich nicht fertig ausziehen.‹

Ich gehorchte ihr, verschlang sie jedoch mit meinen Blicken.

›Zieh dich nur weiter aus!‹ sagte sie ungeduldig. ›Du stehst nur da und schaust mich an; du wirst noch deine Hosen anhaben, wenn ich längst splitterfasernackt bin.‹

Ich tat, wie sie befohlen, und hatte im Nu meine Hosen aus, als sie, die schon ihre Unterröcke hatte fahrenlassen, ihr Hemd als letzte Hülle abstreifte.

Wie wir so ganz ohne etwas dastanden, richteten sich die Augen eines jeden auf den ihn interessierenden Mittelpunkt.

›Ach, wie niedlich das ist!‹ rief ich aus und streckte lüstern eine Hand nach dem sprießenden Mooskissendreieck aus, das den Eingang zum hübschesten Liebestempel zu verdecken begann.

›Ach, wie schön das ist!‹ sagte sie und umfaßte mit ihrer Hand das glänzende Abbild der Schlange, die einst unsere Urmutter Eva verführte. ›Und wie steif das ist! Das läßt sich ja abschälen! Und das da unten, wozu soll das sein?‹

Das Betasten meiner Unterwelt brachte mich in eine Verfassung, die mich außerstande setzte, auch nur ein Wort der Erwiderung über meine Lippen zu bringen. Außerdem starrte ich wie gebannt auf das magische Dreieck, das sich meinen Blicken bot. Bereits vorher hatte ich die Riegel der Kammertür geschlossen, und so konnte ich Faustine ohne Mühe dazu bestimmen, sich auf das Bett zu legen, da wir uns dort bequemer gegenseitig vergleichen konnten.

›Das, was ich da unten habe‹, er klärte ich ihr, ›ist von der Natur dazu gemacht, dort einzudringen, wo ich jetzt meinen Finger bei dir habe.‹

›Oh, wie mich das kitzelt, schau nur!‹

›Wahrhaftig? Willst du, daß ich es ausprobiere?‹

›Ei freilich, ich möchte schon gern, doch wenn Mama etwas davon erfährt!‹

›Wer sollte ihr denn etwas erzählen? Ich bestimmt nicht!‹

›Also gut, probieren wir es!‹

›Wir probieren es.‹

Daraufhin suchten wir mit der ganzen Unbeholfenheit von Unwissenden und der ganzen Leidenschaft von Liebenden das ins Werk zu setzen, was nötig war. Die Furcht,

Faustine weh zu tun, ließ mich immer dann in meinen Bemühungen innehalten, wenn ich sah, daß sich ihr Gesicht vor Schmerz verzog. Zog ich mich dann zurück, spornte sie mich wieder an, doch wir stießen immer auf das gleiche Hindernis ... Da fiel mir plötzlich ein, daß auf der Schule mein Regens in der Sekunda, als er sich wieder einmal mit mir vergnügen wollte, Spucke als Achsenfett verwendet und mir dabei das Sprichwort eingeprägt hatte: Colla pazienza e la sputa si chiavarebbe una mosca. Ich nahm also etwas frische Butter, die man uns zusammen mit den Radieschen auf dem Zimmer serviert hatte, und mit Hilfe dieses Gleitmittels erneuerte ich meine Bemühungen. Faustine faßte all ihren Mut zusammen, hielt stand, ohne auch nur einen Deut zurückzuweichen, so daß der Kopf meiner Kolonne die Bresche anrannte, ich rannte noch stärker an, der Rammbock drang in die halbgesprengte Mauer ein, die Begierde stürmte durch die Bresche, bewegte sich dort im freigekämpften Raum und hißte die Fahne der Wollust. Wir fanden dieses Kampfspiel so angenehm und aufregend, daß wir nicht ohne Mühe davon ablassen konnten. Die Furcht jedoch, daß das Hausmädchen uns dabei überraschen könnte, wenn sie uns das bestellte Mittagessen servierte, zwang uns, wieder in die Kleider zu schlüpfen.

Ich staffierte mich mit Faustines Sachen aus, sie mit den meinen; ich setzte ihre Perücke auf, sie die meine; und als man uns das Essen brachte, war sie ein kleiner Abbé, ich ein recht hübsches Mädchen. Faustine nahm, ihrem neuen Kostüm gemäß, das dreiste Benehmen eines jungen Bruder Liederlich an und wirkte dabei überzeugender als ich, der ich die zu meiner Kleidung entsprechende Zurückhaltung zu spielen hatte. Die Magd, die uns das Essen brachte, hatte einen strammen Busen, stattlich geformte Beine und trug enganliegende Strümpfe sowie einen kurzen Rock, wie fast alle unsere hübschen Mädchen aus der Gegend von Vaucluse. Faustine neckte sie handgreiflich, doch Javotte, die Magd, gab ihr einen Klaps auf ihre vorwitzigen Hände. Der frischgebackene Abbé ließ sich das jedoch nicht verdrießen, er griff ihr von hinten unter den Rock und berührte ihre empfindliche Stelle.

›Was soll denn das heißen, du Schlingel!‹ rief diese. ›Wenn mich nicht der schuldige Respekt vor Mademoiselle, Eurer Schwester, zurückhielte, würde ich Euch eine Tracht Prügel verabreichen. Nein, so ein Grünschnabel, was der sich herausnimmt!‹

›Tun Sie sich nur keinerlei Zwang an‹, versetzte ich und lachte, ›das ist ein kleiner Lüstling, und ich werde kein gutes Wort für ihn einlegen!‹

Ermutigt durch meine Worte, packte Javotte Faustine mit ihren kräftigen Händen, zog ihr im Nu die Hose herunter, legte sie übers Knie und versetzte ihr zwei Schläge auf den Hintern, daß es nur so klatschte. Als sie aber Ausschau hielt nach dem, was den vermeintlichen Abbé so frech machte, stieß sie vor Überraschung einen Schrei aus, denn statt einer stolzen Felsspitze, wie sie geglaubt hatte, fand sie eine hübsche Grotte.

›Oh, verzeihen Sie, Mademoiselle, wenn ich gewußt hätte, daß Sie von meinem Geschlecht sind, wäre ich nicht so spröde gewesen. Wenn Sie daran Spaß finden sollten, dann bin ich ganz die Ihrige!‹

Um sich nicht ungefällig gegen Javotte zu erweisen, stimmte Faustine zu, das nun freiwillig zu empfangen, was sie vorher hatte erhaschen wollen, und mit geschäftigem Finger ließ sie sich den gleichen Dienst erweisen.

Während die beiden Mädchen sich so geschäftig zur Hand gingen, erzählte ich Javotte, daß ›Abbé‹ Faustine und ich Schwestern wären und zu einer Verwandten unterwegs wären, in der Absicht, diese durch die Verkleidung Faustines zu belustigen. Damit sie unser Geheimnis nicht verrate, gab ich ihr einen Taler.

›Oh, von Herzen gern!‹ sagte sie. ›Aber Sie sind viel zu hübsch, um hier bloß zuschauen zu können.‹ Dabei wollte sie mir unter den Rock fassen.

›Nein, Javotte, das ist gut gemeint, und ich danke dir, aber das geht nicht.‹

›Bei dir ist wohl Rosenmontag?‹

›So ist es!‹

›Was macht das schon! Wir haben Wasser genug und können uns die Hände waschen.‹

›O nein, in diesem Zustand nie ...‹

›Da sind Sie aber nicht wie ich, denn gerade wenn bei mir Rosenmontag ist, stehe ich in hellen Flammen.‹

Da sie sah, daß bei mir nichts zu machen war, servierte sie uns das Essen. Wir aßen in aller Eile und brachen dann auf. Wieder in unserem Wagen, lachten wir schallend über den Erfolg von Faustines Verwegenheit und die Verlegenheit, in die mich Javottes Anerbieten gestürzt hatte. Wir beruhigten uns erst wieder, als wir uns die Zärtlichkeit, mit denen wir uns überhäuft hatten, und die Aufklärung, die wir uns gegeben, ins Gedächtnis zurückriefen. Die Erinnerung daran beschäftigte mich derart, daß ich nicht auf den Weg acht gab, den wir nahmen, und eine tiefe Wagenspur, in die wir gerieten, als ich gerade Faustine umarmte, gab unserem Gefährt einen solchen Stoß, daß einer der Hängeriemen des Wagens riß. Wir konnten nicht umhin anzuhalten, denn ein Kuß konnte uns da nicht weiterhelfen. Wir wußten nicht, zu welchem Heiligen wir hätten beten sollen, der geringste aller Dorfwagensattler wäre uns von größerem Nutzen gewesen als die

Fürbitten aller in den Litaneien genannten Schutzheiligen zusammen. Wie wir so vor uns hin murrten, sahen wir zu unserer Linken einen Schloßherrn dieser Gegend spazieren, auf dem Kopf eine gestutzte Perücke, angetan mit grauem Hut und grauen Schuhen und einem großen Stock, an dessen Ende eine Raupenschere war, in der Hand. Seinem Gesicht nach zu urteilen, mochte er um die fünfzig Jahre alt sein. Seine bessere Hälfte, deren Gesicht verbarrikadiert war durch eine enorme Calèche, garniert mit klatschmohnfarbenen Bändern, schritt majestätisch dahin, gestützt auf ein schillerndes Bambusrohr. Diese Dame, schon zehn Jahre majorenn, bemühte sich seit drei Lustren, der illustren Familie Cornucio, deren Oberhaupt ihr Gemahl war, einen Erben zu schenken. Die Vorsehung jedoch, ihren Wünschen abhold, hatte in ihrem Herzen in keiner Weise die Hoffnung verlöschen lassen, zum Erfolg zu gelangen, durch welchen Kollaborateur auch, den ihr der Zufall bescherte.

Dieses würdige Paar nun, welches unseren Unfall bemerkte, trat auf uns zu, um uns all die Hilfe anzubieten, die ihnen möglich war. Wir waren glücklich über ihre Hilfsbereitschaft. Einer ihrer Domestiken brachte unseren defekten Wagen zum Schloß, und wir schlossen uns dem Spaziergang des Ehepaares Cornucio an. Die Dame bemächtigte sich des Armes des vorgeblichen Abbés, und der Gemahl führte mich. Je näher wir dem Schlosse kamen, um so mehr begannen ihre Augen zu leuchten, ihre Ellbogen preßten unsere Arme an ihre Herzen, ihre Stimmen verrieten Erregung, und ihre Unterhaltung suchte uns zu schmeicheln. Kaum waren wir im Schloß oben angelangt, da begann man schon zu beraten, wo wir logieren sollten. Sie hatten nur zwei kleine Zimmerchen für uns übrig, wobei das eine dem Schlafzimmer von Madame benachbart war, während das andere an das von Monsieur stieß. Es schien ganz natürlich, den Abbé neben dem Zimmer des Gemahls unterzubringen und die vorgebliche Demoiselle neben der Dame; doch sie entschieden im gegenseitigen Einverständnis anders, da ein jeder aus seiner Nachbarschaft seinen Vorteil zu ziehen gedachte. Hätte ich am Abend die Zimmer mit Faustine tauschen können, wäre das Paar zugleich zufriedengestellt gewesen und das Geheimnis unserer Verkleidung wäre bewahrt geblieben, jedoch die Vorstellung, sie in den Armen dieses alten Satyrs zu sehen, brachte mich auf; so wartete ich ab, wie sich Rat unter diesen Umständen finden könnte.

Cornucio und seine Gemahlin überschütteten uns den ganzen Abend über mit Zuvorkommenheit, und nach dem Nachtmahl, das mit ausgezeichneten Weinen begossen wurde, führten sie uns in unsere Schlafräume.

›Seien Sie nur hübsch brav, lieber kleiner Abbé‹, sagte die Dame und umarmte Faustine, ›denn es besteht nur eine klitzekleine dünne Wand zwischen Ihrem Bett und dem meinen.‹

Ich konnte alles hören.

›Und dann‹, flüsterte sie ihr ins Ohr, ›die Tür, die uns trennt, ist nicht verschlossen.‹

Der Schloßherr machte mir die gleichen Eröffnungen, fügte jedoch hinzu, mir die Hand drückend, daß er Schlafwandler wäre; darauf zog er sich in sein Zimmer zurück. Ich lachte über diese Mißdeutung und legte mich zu Bett. Faustine tat dasselbe in ihrem Zimmerchen, und es verdroß mich, mit ihr keine Verbindung zu haben, denn unsere Zimmer lagen im Schloß weit voneinander entfernt. Um zueinander zu kommen, hätte man einen langen Korridor durchqueren müssen, vorbei am Appartement der Dame, am Speisesaal und am Appartement des Schloßherrn.

Ich hatte kaum meine Augen geschlossen, da hörte ich, wie jemand mein Zimmer betrat und sich meinem Bett näherte. Ich fühlte wohl, daß es mich einen Kampf kosten würde, deshalb ergriff ich den Nachttopf, den ich vor dem Schlafengehen benutzt hatte, und als Cornucio meine Schlafdecke hob und zu mir ins Bett schlüpfen wollte, ergriff ich diesen Topf und stülpte ihn ihm über den Kopf; sodann lief ich, so schnell ich konnte, den Korridor entlang bis zu Faustines Zimmertür, die ich mit dem Knie aufstieß. Ich sah, daß Faustine gegen die Zudringlichkeiten ihrer Zimmernachbarin ankämpfte wie einst der keusche Joseph gegen die Frau des Potiphar. Meine Cousine hatte sich so fest in ihre Decke gewickelt, daß unsere brünstige Gastgeberin noch nicht gemerkt hatte, daß jene ein Mädchen war. Als die Dame meiner ansichtig wurde, stand sie wie versteinert. Ich beklagte mich bitter, daß mir ihr Gemahl hatte Gewalt antun wollen, und schalt meinen angeblichen Bruder aus, daß er sich nicht schämte, die Güte unserer ehrenwerten Gastgeberin zu mißbrauchen.

›Ich die Güte mißbrauchen, Bruder!‹ rief der falsche Abbé, ›der Himmel ist mein Zeuge, daß Madame es war, die mich belästigte!‹

›Ich glaubte, Sie stöhnen zu hören, und fürchtete, daß Sie Beschwerden hätten, deshalb bin ich herbeigeeilt, um Ihnen zu helfen, sofern es in meinen Kräften steht.‹ – ›Ihr Mann, Madame, steht Ihnen, wie ich sehe, in der Liebe zum Nächsten in nichts nach; ich werde also keinen Schritt aus dem Zimmer meines Bruders weichen, denn er allein kann mich vor den unkeuschen Gelüsten Ihres Mannes schützen.‹

›Lege dich nur hier ins Bett, Schwester‹, sagte Faustine zu mir, ›ich werde dich in dem Fauteuil neben dem Bett bewachen. Ich hoffe doch, daß Madame nichts dawider hat und uns gestattet, hier bis Tagesanbruch ein wenig auszuruhen; danach werden wir das Haus verlassen, wo die Unschuld so wenig geachtet wird.‹

Die Dame stammelte einige leere Entschuldigungen und ging aus dem Zimmer. Kaum war sie fort, da verbarrikadierten wir die Tür, fielen uns unter verhaltenem Kichern um den Hals und befriedigten nach Herzenslust und ungestört unsere sinnlichen Wonnen, von denen wir schon in der Herberge eine Stichprobe genommen hatten.

Anderntags, es war kaum hell geworden, zog jeder wieder seine eigenen Kleider an, und hierauf brachen wir auf, ohne uns von unseren verbrunzten Gastgebern zu verabschieden. Mit dem inzwischen reparierten Wagen fuhren wir zu meiner Tante zurück, wo ich bis zum Ende der Ferien noch sinnenreiche Tage verlebte, auch an der Hochzeit meiner liebenswürdigen Cousine teilnahm, deren Mann, von Natur aus unstet und nervös, in keiner Weise bemerkte, daß ich ihm schon den Weg geebnet hatte, auf dem er sich nur mühsam vorwärtsbewegte.«

Während der Prälat seine Geschichte zum besten gab, hatten wir neue Kräfte gesammelt, und der Reihe nach berauschten wir uns den ganzen Abend über an allen sinnlichen Wonnen, die die Natur und die ausschweifende Phantasie den Menschen eingeben, die, voller Kraft, frei von aller Scham und jeglichem Vorurteil und weit davon entfernt, ihren Begierden Einhalt zu gebieten, sie im Gegenteil noch durch die Suche nach neuen Möglichkeiten der Wollust erhöhen.

Als Prinz von Pegu

Einige Tage nach dem soeben geschilderten Abend teilte mir mein Bischof, bei dem ich eifrig meinen mir von ihm erteilten Obliegenheiten nachkam, mit, ich solle meine Vorbereitungen treffen, um ihn auf seiner Reise nach Bedarrides zu begleiten, wo er, drei Meilen von Avignon entfernt, ein Lusthäuschen besäße und wo er sich zwei Wochen von seinen bischöflichen Amtsgeschäften zu erholen gedächte. Ich würde dort seine Schwester, eine vornehme Dame aus dem Bénévent, kennenlernen sowie deren Tochter, ein über alle Maßen stolzes, doch mit allem Liebreiz ihres Standes versehenes Stiftsfräulein. Er vertraute mir an, daß seine Schwester, mit ihren fünfunddreißig Jahren noch eine schöne und appetitliche Erscheinung, sicher Gefallen an mir finden würde, und er hoffe, daß ich ihm zur Hand gehen werde, ihr die Honneurs des Hauses zu machen. Was seine Nichte anbeträfe, so stünde sie in der Blüte ihrer siebzehn Jahre, hätte schwarze Haare und Augenbrauen, schmachtende Augen, schwellend sinnliche Lippen und die glücklichsten Anlagen, um eines Tages in die Fußtapfen ihrer Mutter zu treten. Jedoch der Stolz auf ihre vierundsechzig Ahnen hätte sie bis jetzt verhindert, da sie bisher in der genealogischen Suppe ihrer Verehrer immer ein Haar gefunden habe, und dies, obwohl der Stand eines Stiftsfräuleins, den sie wegen ihres geringen Vermögens gewählt habe, sie auf eine Ehe verzichten lassen müsse und ihr lediglich die ›Phantasie mit

Schneegestöber‹ oder die in den Klöstern übliche Lustprothese Trost bieten könne.

Ich beklagte sie wegen eines Vorurteils, das so sehr der menschlichen Natur wie der christlichen Demut entgegensteht.

»Ich rechne auf Sie, lieber Hic & Hec, sie von diesem Vorurteil zu befreien; Ihr Aussehen, Ihre verführerischen Blicke und nicht zuletzt Ihre tiefschürfenden Kenntnisse in der Liebeskunst können das verirrte Lämmchen zur Herde zurückfinden lassen.«

»Und wie, glauben Sie, sollte mir das gelingen?« fragte ich ihn. »Mir, der ich weder Namen noch Titel, noch blaublütige Vorfahren habe? Verachtung wird das einzige sein, das ich ihr damit einzuflößen vermag.«

»Lassen Sie das nur meine Sorge sein, die Intrigen meines Romans sind bereits gesponnen. Ich habe mir das folgendermaßen gedacht: Ein Jesuitenpater, der als Missionar in Indien weilte und nun aus dem Königreich Pegu zurückgekehrt ist, hat Sie auf Befehl des dort lebenden und bekehrten Prinzen, dessen natürlicher Sohn Sie sind, hierherbringen müssen, um Sie in der christlichen Religion zu erziehen.«

»Wenn diese Mystifikation Monsignore Vergnügen bereitet, will ich nur zu gerne mitmachen.«

»Im übrigen wirst du für deine Gefälligkeit reichlichen Lohn empfangen, denn Laura ist gewachsen wie eine Pinie, und an ihr ist nicht das geringste auszusetzen, außer ihrem übermäßigen Adelsstolz. Ich übergebe sie dir, um sie zu entkorken, doch unter der gleichen Bedingung, die Valbouillant für die Grundsteinlegung bei Babet verlangt hat: Alles wird uns gemeinsam gehören, wenn du sie von ihren Vorurteilen geheilt hast.«

Das erschien mir drollig, und so versprach ich dem Prälaten alles, was er wollte.

»Da kommt mir noch ein glänzender Einfall!« rief mein Bischof. »Um unserer List noch mehr Glaubwürdigkeit zu verleihen und die Angelegenheit zu beschleunigen, sage ich so nebenher während der Unterhaltung, daß in Pegu alle Prinzen von Geblüt an ihrem Körper ein Zeichen haben, das ihre edle Herkunft beweist.«

»Ein Zeichen? Und welches, Monsignore?«

»Nichts einfacher als das! Den Kopf eines weißen Elefanten unter dem Nabel! Der Maler, der gerade mein Porträt fertiggestellt hat, wird dich dort unten schnell mit diesem Zeichen versehen.«

»Was für eine Posse!«

»Ich werde die beiden neugierig machen, dieses Phänomen in Augenschein zu nehmen, und ich zweifle keinen Augenblick, daß der bedrohliche Rüssel des Tieres, wenn er seine Kraft und Regsamkeit spielen läßt, ihre Aufmerksamkeit nicht verfehlen wird.«

Gesagt, getan! Der Maler begann schon am nächsten Tag sein Werk, und zwei Tage später zierte meinen Unterleib der schönste Elefantenkopf, der je gesehen ward. Monsignore prüfte das Meisterwerk und spielte mit dem echten Rüssel des gemalten Tieres, daß dieser unter seinen geweihten Händen so in Steife geriet, die den Spieler in Entzücken versetzte.

Am Abend desselben Tages besuchten wir Madame de Valbouillant, und man zollte der Bemalung allgemein Bewunderung. Zum Glück hatte der Maler das Bild in Öl gefertigt, sonst hätte es bei dem kräftigen Gebrauch, den ich mit dem Rüssel unternahm, Schaden gelitten. Die kleine Babet, die noch nie in ihrem Leben ein solches Tier gesehen hatte, wurde nicht müde, es zu examinieren, und fand, daß man ebensolchen Nutzen daraus ziehen konnte wie aus einem Schokoladenquirl. Das arme Kind, wenig mit der Kunst vertraut, führte in ihren Anschauungen alles auf die Natur zurück. Das lüsterne Ehepaar Valbouillant, von dem Prälaten unterrichtet über den Zweck dieses Gemäldes und der ins Auge gefaßten Mystifikation, versprach, dabei zu helfen und uns zu diesem Zwecke auf das Landhaus Seiner Gnaden zu folgen, der, seit er an unseren Orgien teilnehmen durfte, nicht mehr das Vergnügen entbehren konnte, das die Ausschweifung unserer Phantasie immer neu variierte. Es wurde auch beschlossen, daß die niedliche Babet die Reise mitmachen sollte. Das Mädchen entwickelte mit jedem Tag immer neue Reize, ihr Körper bekam frauliche Formen, ihre Brüste wurden voller, und die Liebeslust hatte ihr einen erfahrenen und beherzten Blick gegeben, der vorher nur verschämt und unsicher gewesen war. Ihre Hände, nun nicht mehr für grobe Hausarbeit verwendet, waren nunmehr nicht mehr rissig und grob, sondern weiß und zart geworden; ihre zarten, flinken Finger, sonst in der Küche hantierend, handhabten jetzt den Eierschläger der Liebe mit mehr Grazie als Hebe die Keule des Herkules.

Am nächsten Tag in aller Frühe reisten der Bischof und ich ab; seine Schwester und seine Nichte waren schon zwei Stunden vor uns im Lusthäuschen von Bedarrides eingetroffen. Als wir ankamen, fanden wir sie im Salon. Die Schwester, auf einer Ottomane liegend, las mit der einen Hand in einem kleinen Buch, das sie in der Tasche versteckte, als sie unser ansichtig wurde, während ihre andere Hand aus dem Kleide fuhr. Das junge Stiftsfräulein saß über den Stickrahmen gebeugt und stickte auf einen Strickbeutel mit allen heraldischen Akzedenzien ihr Familienwappen.

Der Bischof stellte mich, nach dem er sie beide umarmt hatte, als Prinz aus Pegu vor, den der König, mein Vater, als Neubekehrter, nach Europa schickte, um mich im Glauben und in den Künsten instruieren zu lassen, die den Ruhm des glücklichen Frankreich ausmachten.

Der Titel eines Prinzen vom Ende der Welt und Cousins des Weißen Elefanten sicherte mir die Gunst des erhabenen Stiftsfräuleins; meine schmachtenden und liebesfeurigen Augen, meine dichten brünetten Haare waren auch nicht ohne Einfluß auf ihre Mutter. Die eine bat mich um Aufklärung über die siamesischen und peguanischen Wappen, die andere über die Bekleidung der Bajaderen und die Form der Chaiselongue in Indien. Ich befriedigte ihren Wissensdurst nach bestem Wissen und Gewissen, das heißt nach dem, was ich in entsprechenden Reisebeschreibungen gelesen hatte.

Nach dem Essen, bei dem alles, was ich sagte, mit Erstaunen bewundert wurde, auch daß ein junger Mann aus Indien sich mit soviel gesundem Menschenverstand und soviel Leichtigkeit französisch auszudrücken vermochte, gingen wir in einem nahegelegenen reizenden Park spazieren, der nicht weit vom Lusthäuschen entfernt war; die Comtesse Magdalani erwählte mich zum Kavalier, der Bischof hingegen nahm den Arm des Stiftsfräuleins und tat währenddessen alles, um sie für mich einzunehmen.

Die Mutter befragte mich indessen über die Sitten und Gebräuche in Pegu, über das Schönheitsideal der Frauen und wie man es dort mit der Liebe hielte; ich gab ihr die Versicherung, daß schlanke Frauen mit elastischer Fülle dort am begehrtesten seien (sie hatte solche Formen), daß sich die Männer gegenüber den Damen keinerlei Avancen erlaubten, aus Furcht, von ihnen für aufdringlich gehalten zu werden, hingegen jedoch eifrig jenen entgegenkämen, die ihnen ihre Gunst gewährten.

»Wie denn! Wenn ich also eine Dame aus Pegu wäre

und Sie mich begehrenswert fänden, dann würden Sie es mir mit keinem Sterbenswörtchen sagen?«

»Nein, in diesem Falle hätte ich zu große Furcht, Sie zu beleidigen.«

»Und wie muß sich denn dann eine Frau verhalten, um einen Mann zu ermuntern, der ihr gefällt?«

»Sie muß ihm ins Gesicht sehen und die Spitze ihres linken Zeigefingers küssen, daraufhin wird sich ihr der Kavalier schüchtern nähern.«

»Und was macht die Dame dann?«

»Sie legt ihre rechte Hand auf ihr Herz.«

»So etwa?«

»Ganz genauso!«

»Ich mache es also richtig?«

»Ganz entzückend.«

»Und der Kavalier?«

»Wenn er mit der Schönen allein ist, sinkt er vor ihr auf die Knie und gehorcht ihren Befehlen; aber auf keinen Fall würde er es wagen, ihnen zuvorzukommen. Sind sie hingegen nicht allein, tut er so, als verstünde er nichts, schlägt die Augen nieder und seufzt dabei.«

»Sie haben sie eben niedergeschlagen?«

»Sie haben richtig beobachtet.«

»Hören Sie, Bruder«, sagte sie zu dem Bischof, der mit seiner Nichte hinter uns ging, »ich möchte nicht, daß Sie Ihren Spaziergang meinetwegen unterbrechen; ich fühle mich ein ganz klein wenig erschöpft und werde mich hier auf dem Rasen etwas ausruhen. Prinz Hic & Hec wird mich in der Zwischenzeit weiter über die Sitten und Gebräuche in Indien unterhalten; Sie werden uns dann entweder hier oder im Salon wieder treffen.«

»Wie Sie wünschen«, sagte der Gottesmann und ging lächelnd mit seiner Nichte weiter.

»Nehmen wir unsere Lektion über Indien hier wieder auf!« sagte die Dame zu mir. »Wie war das doch gleich? So?« Sie küßte den Zeigefinger ihrer linken Hand.

»Ja, sollte ich das Glück haben, Ihnen zu gefallen?«

»Und dann muß ich die rechte Hand auf mein Herz legen?«

»Vorausgesetzt, Sie wollen, daß ich einiges wage!«

»Lassen Sie es uns versuchen.« Dabei gab sie mir ein aufmunterndes Zeichen und sank auf den Rasen. Ich legte mich zu ihr und hatte behende alle Hindernisse aus dem Weg geräumt, und bald waren wir nur noch eines.

»Hoch lebe die indische Methode! Wie sie doch alle Förmlichkeiten abkürzt!« rief meine Italienerin begeistert, preßte mich dabei leidenschaftlich an sich, kniff und biß mich vor Verlangen, kam im Staccato auf hohe See und ging darin unter, indem sie durstlöschend Brahma, Wischnu und alle Götter Indiens pries. Als sie bald darauf wieder zu sich gekommen war, sagte sie, mich wieder und wieder an ihren Busen drückend:

»Abbé, lieber Abbé, was machen die indischen Frauen, um zu beweisen, daß sie zufrieden sind?«

»Indem sie von neuem eine weitere Huldigung empfangen.«

»Ohne sich auszuruhen! Oh, lieber Abbé, ich komme mit Ihnen nach Pegu«, rief sie und legte sich zurecht, um mir ihre Dankbarkeit zu bezeigen. Die indischen Sitten waren so nach ihrem Geschmack, daß sie mich weitaus angenehmer fand als das Buch, mit dem sie sich bei unserer Ankunft beschäftigt hatte. Sobald die zweite Tour beendet war, stand sie auf, brachte ihre Kleider in Ordnung, nahm meinen Arm, und zusammen gingen wir zum Salon zurück. Sie war bei diesen beiden indischen Diwan-Nummern so von meinem kräftigen Lingam in Anspruch genommen, daß ihr dabei gar nicht mein Elefantenbild aufgefallen war. Sie plauderte mit mir in aller Ruhe über die verschiedenen Religionen in Asien, und ich erzählte ihr von der Sekte der ›Multiplikanten‹ und der ›Gemeinschaft der Freuden‹, die in den Familien dieser Kaste Usus sei.

»Wie denn«, sagte sie, »die Mutter in den Armen ihres Sohnes, die Tochter in denen des Vaters ...!«

»Ei, Madame, können Sie sich nicht erinnern, einmal gelesen zu haben: ›Wer anders als derjenige, der den Baum gepflanzt hat, soll von den Früchten kosten.‹«

»Ja, ich kenne es, und es spricht die Wahrheit. Doch das Vorurteil der anderen?«

»Das Vorurteil, kann es gegen das Gesetz des Schöpfers an?«

»Gibt es denn überhaupt ein solches, daß einem Vater, einer Tochter, einem Bruder, einer Schwester erlaubt ...? Pfui, das ist abstoßend!«

»Zu wem hat der Schöpfer gesagt: ›Seid fruchtbar und mehret euch!‹ Es war doch wohl zu Adam, Eva, zu ihren Söhnen und Töchtern! Für Gott war der Inzest kein Verbrechen, da er ihn ja geradezu befahl.«

»Wie? Sie haben in der Tat recht!«

»Und kann der Wille des Himmels wankelmütig sein und sich ändern? Ist es möglich, daß das, was zu der einen Zeit als Vorschrift galt, in einer anderen Zeit eine Schandtat sei oder wäre? Sagen wir lieber: Da uns die Natur ohne Rücksicht auf die Verwandtschaft die Neigung zum anderen Geschlecht eingegeben hat, waren es allein die Gesetze der Menschen, die diese engen Bindungen verhindert und verboten haben; statt also die Menschen die Freuden der Liebe, die ihnen von Natur aus zur Hand sind und die sie in der Familie finden konnten, einander austauschen zu lassen, hat man diese Beziehungen durch den Zwang der Menschen nach Liebe, die sich ansonsten nie begegnet wären, ersetzt. Nur die Gesetzgeber und die Regierenden, aber nicht Gott und die Natur, haben aus rein egoistischen Gründen Bindungen verboten, die die Familien voneinander getrennt hielten, und sie haben aus natürlichen, also unschuldigen Neigungen Verbrechen gemacht. Nehmen Sie beispielsweise das Gesetz des jüdischen Volkes, wonach der Bruder verpflichtet ist, die Witwe seines Bruders zu heiraten; daß also die gleiche Frau, sofern sie ihren Mann überlebte, von einem Bruder zum anderen ging. Und Sie machen aus dem Spaß, den der Cousin mit seiner Cousine verlebt, ein Verbrechen, wenn der Stellvertreter Christi auf Erden keinen Dispens in barer Münze gewährt? Doch hat der Erlöser nicht selbst gesagt, wie es uns die heiligen Bücher überliefert haben: ›Ich bin nicht auf die Erde gekommen, um das Gesetz zu ändern, sondern um es zu erfüllen.‹«

Ich war so richtig in Schwung, und durch die Übung im Disputieren, wie ich es auf der Schule gelernt hatte, hätte ich noch weiter Argument auf Argument folgen lassen, wenn nicht der Prälat mit seiner Nichte zurückgekommen wäre, der ihr gegenüber, wie ich am Glanz ihrer Augen und ihrem mehr als sonst geröteten Gesicht ersah, die gleiche These vertreten hatte. Signora Magdalani bemerkte dies sehr wohl, wagte jedoch nicht, sich etwas anmerken zu lassen; der Reichtum und das einflußreiche Ansehen ihres Bruders, die finanzielle Unterstützung, die sie von ihm empfing, ließen sie darüber hinwegsehen. Außerdem wußte sie nur zu gut, daß das Beispiel, das sie ihrem Kinde gab, sie alles andere als dazu berechtigte, sich als allzu strenge Mutter aufzuspielen.

»Nun, liebe Schwester«, fragte der Bischof, »haben Sie sich gut die Zeit vertrieben mit dem Prinzen Hic & Hec?

Sind Sie nun wohl unterrichtet über die Sitten und Gebräuche in Indien?«

»Ich bin sehr zufrieden mit seinen Enthüllungen; er ist so aufgeschlossen, besitzt so handfeste Argumente und eine Tiefe des Geistes ... geradezu ein unerschöpflicher Brunnen ...«

»Und seine Moral?«

»Etwas ungewöhnlich, doch tiefschürfend. Ich gebe zu, daß er mich von manchem Vorurteil befreit hat.«

»Ja, darin liegt seine Stärke. Doch sagen Sie uns, von welchen Vorurteilen er Sie befreit hat!«

»Vor meiner Tochter kann ich nicht ...«

»Wie kindisch! Ihre Tochter ist in einem Alter, wo sie alles wissen kann, ja, ich gehe noch weiter und behaupte, daß es geradezu von Schaden sein könnte, sie darüber nicht aufzuklären. Denn wieviel Fehler werden aus Unkenntnis der Dinge begangen! Ein junges Mädchen, dem man nichts verbirgt, ist besser gegen die Verführung gewappnet. Und sollte sie der Verführung auch erliegen, so weiß sie doch wenigstens einen Skandal zu vermeiden, der, ich sage dies nur unter uns, das schlimmste moralische Übel ist. Was schert es die anderen, die gute Gesellschaft, ob ich meine körperlichen Bedürfnisse befriedige oder nicht, vorausgesetzt, ich schade nicht dem Glück der anderen, beraube sie nicht ihres Vermögens, verderbe ihnen nicht ihre Freuden und Genüsse oder verursache ihnen weder Kummer noch Schmerz!«

»Lieber Bruder«, meinte die Signora, »würden Sie solche Ansichten auch in Ihren Predigten vertreten?«

»Aber gewiß doch, wenn ich wüßte, daß ich zu Leuten mit gesundem Menschenverstand spräche, die ich aufklären möchte; auf der Kanzel vor aller Welt jedoch nicht. Denn die Masse des Volkes will betrogen sein, die Unwissenden lieben das Unglaubliche, das Wunderbare; aber ein Glauben ohne Wunder würde nur wenig Anhänger finden, und die Mysterien, die der Vernunft widersprechen, ziehen doch gerade die Leichtgläubigkeit der großen Masse an. So werde ich dem Volke weiter Sand in die Augen streuen, meinen Freunden gegenüber werde ich indessen offen, ehrlich und rückhaltlos sein.

Laura ist siebzehn Jahre alt und weiß ganz gewiß über den Unterschied zwischen Mann und Frau Bescheid, allein die Einzelheiten, sie wird sie nicht kennen. Wenn wir uns ihretwegen Zurückhaltung auferlegen, so werden wir nur ihre Neugierde anstacheln. So kann es geschehen, wenn sie uns eines Tages verläßt, daß sie sich bei ihrer Kammerfrau Rat holt, die, weniger zurückhaltend und weniger aufgeklärt, ihr zwar ein Bild des Vergnügens, aber nicht das der Gefahren malen wird.«

»Ach«, rief Laura, »wie liebenswürdig mein Onkel doch ist!«

»Wenn sie merkt, daß wir vor ihr keine Geheimnisse haben, wird sie auch keine vor uns haben; so werden wir in ihrer Seele lesen und ihr die Gefahren ersparen können, ohne ihr das Vergnügen vorenthalten zu müssen. Ich weiß, daß Sie nicht den Wunsch hegen, sie zu verheiraten, und sie unterwirft sich Ihrem Willen. Aber auch wenn sie auf die Ehe verzichtet, so seien Sie versichert, daß sie auf keinen Fall auf die Ersatzleistungen verzichten wird, die sich so viele Stiftsfräulein zu verschaffen wissen. Lassen wir also jede Zurückhaltung vor ihr fahren, solange wir nur unter uns sind. Sollte Besuch kommen, dem gegenüber Mißtrauen zu beobachten ist, versehen wir uns schnell wieder mit der Maske der Zurückhaltung.«

Signora Magdalani betrachtete ihre Tochter zärtlich und sagte:

»Also, ich gebe mich geschlagen, da mein Bruder es so wünscht, doch, mein Herz«, fügte sie hinzu und küßte Laura auf die Stirn, »bewahre dir wenigstens dein unschuldiges Erröten, denn nichts gereicht den jungen Mädchen, sowie besonders ihren Müttern, mehr zur Ehre, als so zu erröten.«

»Also abgemacht, liebe Schwester! Aber jetzt erzähle, worum es in dem Gespräch mit Hic & Hec ging!«

Die Signora berichtete getreulich, was ich ihr über die Sekte der Multiplikanten und über den Schoß der Familie gesagt hatte.

»Nun, Schwester, das ist doch haargenau das, was ich Ihnen sagte, als Sie so erbost über einige ausgelassene Vergnügungen waren, die Ihnen nichtsdestoweniger soviel Freude bereitet haben.«

»Oh, Bruder, ist es unbedingt nötig, daß wir das vor meinem unschuldigen Kind erwähnen?«

»Aber Mama, ich hatte schon einen Verdacht, obwohl ich nicht wagte, mit Ihnen darüber zu reden.«

Bei solcher Naivität konnte ich nicht an mich halten. Ich ergriff ihre Hand und bedeckte sie leidenschaftlich mit Küssen. Laura errötete. Die Mama warf mir einen strengen Blick zu, der mir aber nicht imponierte. Der Bischof machte dem Disput ein Ende, indem er mit scharfer Stimme sagte:

»Pfui, Schwester, wie können Sie nur dabei so üble Laune bekommen! Es ist an der Zeit, daß die Kleine von unseren Freuden ihren Anteil kostet. Der Abbé ist ja ungefähr in Lauras Alter.«

»Aber, lieber Bruder ... glauben Sie wirklich ...?«

»Papperlapapp! Ich weiß, daß er die notwendige Vorsicht walten läßt, um die Ankunft kleiner ungebetener Gäste zu verhindern.«

»Aber Onkel ...!«

»Willst du mir etwa wieder irgendwelche Vorstellungen

über das Alter seiner Familie machen? Sei versichert, deine vierundsechzig Ahnen müssen sich geehrt fühlen, wenn sie verbunden werden mit dem Cousin des Weißen Elefanten.«

»Wenn ich wenigstens sein Wappen einmal sehen könnte?«

»Nichts einfacher als das, denn die Prinzen des Königshauses von Pegu tragen es immer bei sich.«

»Oh, dann laßt es mich sehen!«

»Also dann, Hic & Hec, zeigen Sie der Neugierigen Ihren Stammbaum!«

Die Küsse, mit denen ich die hübsche Hand des Stiftsfräuleins bedeckt hatte, versetzten meinen Stammbaum in einen Zustand, in dem ich mich sehen lassen konnte. Als ich mit einer Handbewegung den Rüssel des Elefanten entblößte, rief die Mutter:

»Wie unanständig!«

Und der Bischof: »Schaut nur sein Siegel an, es ist der Kopf eines weißen Elefanten.«

»Wie das«, meinte die Signora, »der ist mir doch vorhin gar nicht aufgefallen!«

»Sie sind wohl schon in dieser Gegend dort herumgestöbert, Schwester?«

Die Dame errötete und murmelte: »Daß mir das auch rausrutschen konnte!«

»Wohlan, schaut euch nur in aller Muße seinen Stammbaum an! Hast du jemals ein schöneres Wappensiegel gesehen, meine Nichte?«

Überwältigt gestand die Mutter ein, daß das wunderbar wäre, und die junge Laura, verdutzt, stammelte mit vor Begierde fast tonloser Stimme:

»Das ist so schön ... Das superbe Wappenschild ...!«

»Also los, mein Prinz«, rief mir der Prälat zu, »nageln Sie

Ihren Stammbaum an das Lustschloß dieser Jungfrau, und während Sie sie ihre erste Hymne auf die Liebe singen lassen, werden ihre Mutter und ich gemeinsam den Takt dazu schlagen.«

Ich warf mein Stiftsfräulein auf das Sofa, der Bischof schnürte seiner Nichte das Korsett auf und enthüllte meinen geblendeten Augen zwei alabasterne Hügel, durchzogen von einem feinen blauen Geäder; meine heißen Lippen fuhren darüber hin und hatten in kurzer Zeit das ganze Terrain erkundet. Trotzdem, aus Furcht, auf die falsche Fährte zu gelangen, wurde mein Anker in einem Meer von Wollust naß. Der Prälat, der inzwischen seine Schwester auf die nebenstehende Ottomane geworfen hatte, bemerkte mit einem Seitenblick die doppelte Woge, die ich verursacht hatte.

»Oha«, rief er, »dieser Tempel ist von einem Ungläubigen befleckt worden, doch mit diesem meinem Weihwedel werde ich ihn wieder reinigen.«

Nach diesen Worten drang er in den Vorhof des Tempels, bewegte sich im Gewölbe einige Male hin und her, bevor er zum Altarraum gelangte, den er mit einem reichlichen Strahl seines Weihwassers reinigend besprengte.

In diesem Augenblick verdrehte die Kleine ihre Augen, lag wie steif und stöhnte:

»Oh, König von Pegu, wie gut, daß du dich hast bekehren lassen!«

Wie groß auch der Taumel war, in den mich ihr Sinnenrausch versetzte, so behielt doch die Vernunft die Oberhand über die Leidenschaft. Mich gehorsam an das Gebot des ehrenwerten Prälaten haltend, verbreitete ich mein Opfer auf dem Architrav der Säulen des Tempels. Die Mutter und der Onkel bekomplimentierten mich zu meinem klugen Rückzug, doch Laura schien davon weniger erbaut. Ich beeilte mich also, sie darüber zu trösten, indem ich von neuem in die sinnlich glühende Höhle tauchte, die mich nur mit Bedauern hatte rausschlüpfen gefühlt. Ich fuhr also wieder ein und aus und verschaffte ihr eine neuerliche Entladung, ohne selbst dafür etwas ausgeben zu müssen. Der Bischof und seine Schwester waren währenddessen zu uns getreten, und die Dame, die ihre Tochter auf die Stirn küssen wollte, kam durch das Herabbeugen mit einer Duttelwarze ihrer Brüste in Richtung meiner Lippen. Ich nahm sie geschwind in den Mund und zuckelte an ihr, indessen der Prälat mit zärtlicher Hand meine Kehrseite preßte und dort mit dem Mittelfinger Höhlenforschung betrieb.

Schließlich machten wir uns wieder zurecht, indem wir die notwendigen Waschungen vornahmen und unsere Kleider wieder in Ordnung brachten. Sodann erwarteten wir die Ankunft des Marquis de Valbouillant, seiner Frau und Babets, die auch nicht lange auf sich warten ließen. Die ersten Minuten des Zusammentreffens vergingen mit den üblichen Komplimenten.

»Prinz«, fragte mich ganz leise die hübsche Laura, »warum hat mein Onkel diese Leute da hierher eingeladen? Der Besuch wird uns eine Zurückhaltung aufnötigen, die ich vor unserer intimen Verbindung zu ertragen gewußt hätte, die mir aber jetzt, da ich die Wonnen der Liebe kennengelernt habe, unerträglich ist.«

»Seien Sie unbesorgt«, versetzte ich, »die Anwesenheit dieser Herrschaften wird unserem Drang nach wollüstigen Begierden keinerlei Fesseln anlegen, sondern uns im Gegenteil die Stufenleiter der Wollust noch höher steigen lassen.«

»Aber ein verheirateter Mann ...! Die Anwesenheit des Gatten muß dabei der Frau doch peinlich sein!«

»Wenn dem so wäre, müßte ein junges Stiftsfräulein die Anwesenheit der Mutter auch genieren, trotzdem ...«

»Aber ich bitte Sie, nicht alle Mütter sind so gut und verständnisvoll wie meine!«

»Oh, auch nicht alle Ehemänner sind so verständnisvoll wie der Marquis!«

Inzwischen hatte man Platz genommen, und jeder beobachtete jeden. Allen stand das Verlangen auf den Gesichtern geschrieben, daß gegenseitiges Einvernehmen und Zwanglosigkeit aufkommen möge, doch niemand wagte das Eis zu brechen. Der Bischof lächelte über die allgemein herrschende Verlegenheit, dann nahm er seine Nichte bei der Hand und führte sie Madame de Valbouillant zu.

»Erlauben Sie, Madame«, sagte er, »daß ich Ihnen diese frisch gepflückte Blume vorstelle! Sie hat die besten Anlagen, und auf Ihre Ratschläge hörend, wird sie in der Öffentlichkeit alle Vorurteile zu beachten, sie jedoch im engen vertrauten Kreis abzulegen wissen. Ich erbitte Ihre Freundschaft für sie. Mit dieser Bitte möchte ich, daß wir uns aller gesellschaftlichen Zurückhaltung entledigen und uns hier in meinem Lusthäuschen so geben wie in Ihrem Boudoir in Avignon.«

»Ihr konntet mir damit, Monsignore«, erwiderte Madame de Valbouillant, »kein größeres Vergnügen bereiten. Ich nehme an, daß Ihr keine ungebetenen Gäste erwartet.«

»Nein, Madame! Und auch keiner vom Hauspersonal wird hier einzutreten wagen, es sei denn, auf meinen ausdrücklichen Befehl.«

»Also gut, wenn dem so ist, wie Ihr sagt, schlage ich vor, wir ziehen uns aus und zeigen uns im Kleide der Wahrheit, um unsere Vereinigung zu befestigen und uns genauer und rascher kennenzulernen. Ich glaube, das Kleid der Wahrheit wird der Signora und diesem schönen Kind sehr vorteilhaft stehen.«

Signora Magdalani tat einen Augenblick so, als zögere sie und wolle sich zieren, der Bischof jedoch fackelte nicht lange, zog ihr das Brusttuch weg und schnürte ihr das Korsett auf. Madame de Valbouillant tat das gleiche bei Laura, deren Busen und wohlgeformte entzückende Arme sie mit Küssen bedeckte. Währenddessen hatten Seine Ehrwürden einen in der Wandtäfelung versteckten Schrank geöffnet und daraus vier entzückend geschneiderte Morgenmäntel aus gänzlich durchsichtiger Gaze hervorgeholt, mit denen er unsere Nymphen bedeckte, deren Reize sich dadurch unseren lüsternen Blicken um so wollüstiger darboten.

Signora Magdalani war groß, hatte prachtvolle Formen und schien von den Grazien umgeben; den Bischof hätte man für Apollo aus dem Vatikan halten können, Valbouillant glich dem Gott der Gärten, und ich, so befanden unsere Schönen, hätte viel von der Anmut des Ganymed.

Der Prälat konnte seine zauberhafte Nichte nicht ansehen, ohne daß ihn das Verlangen überwältigte, sich auf dem Pfad durchzuwinden, den ich geschlagen hatte. Laura schlug, als sie es bemerkte, die Augen nieder, sah schüchtern fragend ihre Mutter an, deren Lächeln sie bestimmte, sich darein zu schicken. Die Signora ging ihr voraus zu dem nebenstehenden Canapé, wo sie ihr durch ihr Beispiel Mut einflößte, indem sie sich der Leidenschaft Valbouillants hingab, der, die Beine der hübschen Mutter um seine Schultern schlingend, sich sehr tief in ihre Gunst einführte. Ich schob mich in die von Madame de Valbouillant ein, die hinwiederum, mit ihrem flinken Trostfinger Babets Lustzapfen anstachelnd, das doppelte Vergnügen genoß, das sie uns spendete.

Sechs raffiniert über den Ottomanen angebrachte Spiegel reflektierten die drei liebestollen Paare und vervielfältigten ihr Bild schier ins Unendliche; die durch diesen aufpeitschenden Anblick trunkenen Sinne schürten in doppeltem Maße die Glut aller Mitstreiter, von denen ein jeder sich geschämt hätte, bei diesem Ringelstechen besiegt zu werden. Die Magdalani bewies Valbouillant mit dem Staccato ihres Bauchtanzes, daß sie mit ihren fünfunddreißig Jahren nichts von ihrem Temperament eingebüßt hatte und daß ihre Tochter, trotz ihrer Jugend, sie an Gewandheit und Anmut der Bewegungen nicht übertraf. Trotzdem beglückwünschte der Prälat seine Nichte zu dem Eifer, mit dem sie dem Beispiel ihrer Mutter folgte. Madame de Valbouillant, Babet und ich brauchten zwar solche Aufmunterung nicht, denn dieses neue Schauspiel machte uns nur noch erpichter, dem Gott von Lampsakos zu huldigen.

Nachdem bei allen die Post angekommen war und jeder abgesahnt hatte, rückten wir die drei Sofas zusammen und ruhten uns aus; der Sinnenlust auf den Gesichtern folgten fröhliche, zufriedene Mienen, von Erschöpfung oder gar Unlust keine Spur, denn das feine, einladende Lächeln und die schelmischen Blicke versprachen eine baldige Wiederkehr der Lüsternheit. Man beglückwünschte allerseits Laura für ihr couragiertes Verhalten, das sie bei ihren ersten Himmelsstößen bewiesen hatte, und auch Signora Magdalani empfing das Lob für ihr kluges Verständnis, mit dem sie, sich über alle Vorurteile hinwegsetzend, durch ihr vorbildliches Tun die höchstmögliche menschliche Glückseligkeit ihrer Tochter gefördert hatte. Das junge Stiftsfräulein schlang die Arme um ihre Mutter, die sie vor Glück und Freude mit Küssen überhäufte und mit neugierigem Finger den Sachschaden herauszufinden trachtete, den meine Bemühungen sowie die ihres Bruders gestiftet hatten. Dieses Abfingern brachte die Sinnenlust des Mädchens so sehr zum Kochen, daß der Topf sofort in vollen Strömen überlief und die ganze Sahne die Hand der Signora benäßte, die daraufhin von Laura in der gleichen Weise bedient wurde.

Madame de Valbouillant, um uns die Zeit der Wiederkehr unserer Kräfte nicht langweilig werden zu lassen, schlug vor, uns eine anekdotische Geschichte vorzulesen, die ihr soeben aus Paris zugegangen war. Wir stimmten diesem Vorschlag freudig zu, und ich gebe hier wieder, was sie uns vorlas.

Die neuen Pferde

Adeline, Schauspielerin am Théâtre Italien, berühmt durch ihre hübschen Beine und durch ihr bezauberndes, verschmitztes Wesen, gelang es, sich den reichen Vézère zu angeln, der mit Gold und Geld in Überfülle um sich warf. Adeline erhielt von ihm ein hübsches Lusthäuschen an der Barrière blanche; er stattete es aus mit allem möglichen Luxus, überhäufte seine Mätresse mit Diamanten und las ihr überhaupt jeden Wunsch von den Lippen ab. Trotzdem bewahrte er, was Geschenke betraf, immer eine gewisse finanzielle Knausrigkeit, obwohl er Gold unbeholfen zum Fenster hinauswarf.

Eines Tages nun ließ er ihr einen Wagen bequemster und modischster Bauart anfertigen, der Fond bezogen mit narzissengelbem Samt und verziert mit silbernen Fransen, die Wagenschläge geschmackvoll bemalt und glänzend poliert. Als der Wagen fertig war, ließ er ihn zu ihr bringen. Sie können sich vorstellen, daß sich die falschen Freunde und die Schmarotzer des Hauses nicht genugtun konnten, das Loblied auf den neuen Wagen zu singen, der nach ihrer Meinung das allergrößte Aufsehen in Longchamp erregen mußte. Adeline jedoch bemerkte, daß der neue Wagen nicht zu ihren alten Pferden paßte oder umgekehrt. Vézère, der mit dieser zusätzlichen Ausgabe nicht gerechnet hatte, zeigte sich darüber verstimmt, aber da Mademoiselle schmollte, gab er schließlich nach und sagte ihr, daß man nach Javard, dem Pferdehändler, schicken würde und, sofern dieser mit sich handeln ließe, ihre Pferde gegen andere, passendere, eintauschen würde. Die Schöne fand ihre Ausgelassenheit wieder, und eine dreiviertel Stunde später traf Javard mit zwei edelrassigen Braunen ein, mit feurigen Augen, schlanken Fesseln, tänzelnden Bewegungen, von ebenmäßigem Wuchs und stolzer Haltung. Diese Pferde sehen und haben wollen war eines. Vézère hingegen fragte mit gleichgültigem Blick, was die beiden edlen Tiere kosten würden. Bevor Javard die Summe nannte, ging er zuerst auf deren Vorzüge ein, pries sie in allen Einzelheiten, ließ sie traben und galoppieren, erging sich in ihrem Lob mit allem Eifer eines Pferdehändlers und meinte dann schließlich, daß er die Tiere unter Brüdern für nicht weniger als zweitausend Francs abgeben würde.

VÉZÈRE: Zweitausend Francs! Wollt Ihr Euch denn über mich lustig machen?

JAVARD: Von jedem anderen hätte ich hundert Louisdor verlangt, aber weil Ihr es seid, Monsieur, sage ich: Zweitausend Francs und die Pferde gehören Mademoiselle.

Vézère: Ich biete Euch zwölfhundert Francs. Was meint Ihr dazu?

Javard: Bei diesem Handel würde ich mehr als dreißig Louisdor verlieren.

Vézère: Ihr wollt also nicht im Preis heruntergehen?

JAVARD: Ich kann es nicht, auf Ehre!

VÉZÈRE: Na, na, die Ehre eines Pferdehändlers ...! Nun, Ihr werdet die Pferde für einen anderen bestimmt haben.

ADELINE: Sie würden doch so gut zu meinem Wagen passen, der so hübsch ist!

VÉZÈRE: Hübsch hin, hübsch her, Ihr werdet Eure alten Pferde behalten müssen. Mit Euren Launen bringt Ihr mich an den Rand des Ruins.

Sie aber bestand auf den neuen Pferden. Er ärgerte sich, nahm Stock und Hut und ging von dannen.

ADELINE: Was für ein Geizkragen! Immer macht er nur alles halb. Er schenkt mir einen entzückenden Wagen, aber die dazugehörigen Pferde will er nicht kaufen. Und dabei sind diese doch so herrlich ...! Schade, sehr schade!

JAVARD: Ich verstehe nicht, wie ein so reicher Herr sich für lumpige zweitausend Francs so lange nötigen läßt, vor allem wenn es darum geht, einer so hübschen Frau eine Gefälligkeit zu erweisen, die doch nur sein Glück im Sinne hat. Oh, wenn ich an seiner Stelle wäre!

ADELINE: Dann würdet Ihr höchstwahrscheinlich genauso handeln, die Männer sind nur spendabel, wenn sie uns begehren.

JAVARD: Ich bin zwar nur ein Pferdehändler, aber ich würde Euch ganz gewiß nicht meine Pferde vorenthalten, wenn ich für diesen Preis nur eine Nacht an Stelle von Monsieur de Vézère sein dürfte.

ADELINE *lächelnd*: Ihr würdet Euch aber damit selbst übers Ohr hauen, wenn ich Euch beim Wort nähme.

JAVARD: Meiner Treu, aber nein! Von ganzem Herzen würde ich das Opfer bringen.

ADELINE: Ihr scherzt ...

JAVARD: Nein, ich schwöre es! Sagt ja und die Pferde sind in Eurem Stalle!

ADELINE: Was, im Ernst?

JAVARD: Auf Ehre!

ADELINE: Wißt Ihr, daß Eure Pferde mich sehr in Versuchung bringen?

JAVARD: Ihr bringt mich viel mehr in Versuchung.

ADELINE: Wenn ich zustimmen würde ...

JAVARD: Ich schmeichle mir, daß Ihr mit der Nacht so zufrieden wäret, daß Ihr mir zuweilen gewißlich noch eine andere gewähren würdet.

ADELINE: Ihr glaubt ... Na und?

JAVARD: Na und?

ADELINE: Da Ihr es unbedingt so wollt ... also dann laßt die Pferde unverzüglich in meinen Stall bringen!

Die Pferde wurden in den Stall gebracht, und Javard war obenauf. Er war ein kecker Kerl von gutem Aussehen, breiten Schultern, aufgewecktem Blick, wettergebräunter Haut und so recht geschaffen als Eintreiber von Schulden. Er wollte unverzüglich zu Werke gehen, um sich für seine Pferde in Adelines Schatulle zu entschädigen. Adeline hingegen trug zu großes Verlangen, mit ihren Pferden in Longchamp zu glänzen, um dem Pferdehändler nach seiner Großzügigkeit irgendwelche Schwierigkeiten zu bereiten. Ihr Boudoir wurde, noch vor dem Souper, dreimal zur Bank, wo er seine Wechsel einlöste. Ein treffliches Mahl, begossen mit einem guten Wein, brachte beide sodann wieder zu Kräften, danach sah Adelines Bett fünfmal den gierigen Javard, wie er fleißig mit seinem Dietrich in das Schuldgefängnis einbrach und seine Forderungen eintrieb. Vézère hatte ein ähnliches Fest bei Adeline noch nicht erlebt. Mit Begeisterung ließ sie sich die Spielbank sprengen. Der Pferdehändier jedoch, nicht auf den Kopf gefallen, wie er war, stand frühzeitig auf, begab sich eilig zu Vézère und ließ sich melden.

JAVARD: Meine Pferde, Monsieur, stehen nun in Mademoiselles Stall. Ich habe es einfach nicht übers Herz gebracht, sie ihr abzuschlagen.

VÉZÈRE: Ah, ich verstehe, und jetzt rechnet Ihr damit, daß ich, ohne darin eingewilligt zu haben, die Dummheit begehen würde, Euch die zweitausend Francs dafür zu bezahlen.

JAVARD: Keineswegs, Monsieur, ich habe mit Mademoiselle einen entsprechenden Vergleich getroffen.

VÉZÈRE: Und welchen, wenn's beliebt?

JAVARD: Sie hat einen Ring, den ich zum Pfand genommen habe.

VÉZÈRE: Ihren Ring?

JAVARD: Ja, und er gefällt mir sehr ...

VÉZÈRE: Verteufelt, ich glaube es; er hat mich zweitausend Taler gekostet. Da seid Ihr nicht schlecht dabei weggekommen! Also gut, gebt mir Eure Rechnung; ich werde sie bezahlen, doch von dem Ring soll keine Rede mehr sein.

JAVARD: Aber, Monsieur, der Handel ist abgemacht ...

VÉZÈRE: Und ich muß ihn ausbaden. Teufel, wie Ihr auch drauflosgeht! Also her mit der Rechnung, hier ist das Geld!

JAVARD: Ach was, da Ihr sie doch so liebt!

Er stellte die Rechnung aus, nahm das Geld in Empfang und zog sich zurück, zufrieden, die Pferde so gut verkauft und gratis eine so prächtige Nacht verbracht zu haben.

Vézère kleidete sich inzwischen an, nahm Hut und Stock und fuhr zu Adeline. Die Kammerzofe mochte ihm vorhalten, was sie wollte, daß Adeline noch schliefe und daß sie die ganze Nacht auf Achse gewesen sei, er ließ sich nicht abweisen und trat ein, indem er vorgab, daß er ihr ein Mittel gegen ihre Migräne bringe. Durch diesen Wortwechsel erwachte Adeline.

ADELINE: Kommt Ihr schon wieder, um mich aufzuregen und zu kränken, wie Ihr es gestern getan habt?

VÉZÈRE: Nein, du Spitzbübin; du weißt recht wohl, daß ich am Ende alles tue, was du willst. Sieh her, hier ist die bezahlte Rechnung für deine Pferde!

ADELINE: Was soll ich damit anfangen, Monsieur, da ich die Pferde doch bezahlt habe?

VÉZÈRE: Ja, mit deinem Ring! Javard hat mir alles erzählt; aber ich verstehe das nicht. Behalte ihn! Hier ist der Schein über die Löschung deiner Rechnung. Javard hat mir versprochen, dir deinen Ring zu lassen.

Adeline erriet ohne Mühe die ganze Hintergründigkeit, biß sich auf die Lippen, um nicht in helles Gelächter auszubrechen; und um sich ihre Verlegenheit nicht anmerken zu lassen, war sie so gefällig, den Geldsack zu seiner Entschädigung in ihr Schließfach sofort aufzunehmen, das der Pferdehändler vergangene Nacht so ausgiebig geplündert hatte.

Wasserspiele

Diese Geschichte fand allgemeinen Beifall, und um den Durst der Erzählerin und ihrer Zuhörer zu löschen, lud der Bischof zu einem Punsch ein.

»Gern«, meinte Signora Magdalani, »aber wäre es nicht besser, sich vor dem Punsch durch ein Bad zu erfrischen. Mein Bruder besitzt draußen im Garten ein bezaubernd gelegenes Becken; es ist zu dieser Jahreszeit schon so heiß, daß die Sonne das Wasser genug erwärmt haben dürfte. Große Umstände wird uns das nicht kosten, denn unsere Morgenmäntel sind nur durch ein Band zusammengehalten.«

»Der Einfall ist köstlich«, erwiderte Madame de Valbouillant, »doch wird uns dabei auch niemand beobachten können?«

»Keinesfalls«, sagte der Bischof, »denn das Bassin liegt direkt neben diesem Salon, und keiner kann dort hingelangen. Ich allein besitze einen Schlüssel. Wir nehmen den Punsch mit, stellen ihn auf den Beckenrand und trinken ihn, während wir uns im Wasser tummeln.«

Alle waren einverstanden, und wir gingen zu diesem reizenden Bassin, das mit Stuck verkleidet war. Eine mächtige Platane, zwei Sykomoren sowie zwei große Trauerweiden mit ihren herunterhängenden dichten Zweigen umgaben es und spendeten ihren Schatten. Jasmin und Geißblatt rankten sich um ihre Stämme und bildeten zwischen den Bäumen einen dichten, duftenden Vorhang. Nur einige

Schritte weiter erhoben sich inmitten einer Hecke verschiedenartiger Rosen; Pfeifensträucher, auch Weißdorn, Akazie und Berberitze wuchsen dazwischen. Auf dem Rasen, der zwischen diesen Sträuchern und dem Bassin lag, wuchsen Veilchen, Stiefmütterchen, Anemonen und Narzissen, und um die langstieligen Lilien rankten weißblühende Wicken empor. Ein paar Schritte weiter boten Mooskissen, aus denen Tausendschönchen und Johanniskraut sprossen, einen weichen und natürlichen Ruheplatz der Nymphe, die, dem Bade entstiegen, sich trocknen wollte, bevor sie wieder ihre Kleider anlegte. Hier war es, wohin wir uns begaben, um von unseren Anstrengungen zu verschnaufen. Albano und Boucher hätten sich glücklich geschätzt, wären sie dabeigewesen; ihre Pinsel hätten zu tun bekommen. Jede unserer vier Schönen hätte ihnen Anregung für zwanzig Bilder gegeben. Sie hätten glauben müssen, Thetis zu sehen inmitten ihrer Najaden, wie sie Phöbus empfing, indessen die Horen die Pferde von seinem Wagen abspannten. Valbouillant schien wie Comus, der Gott der Festgelage, während ich, mit den hübschen Badenixen herumtollend, dem Gotte glich, der mit Flügeln an den Schuhen das Fest ankündigte.

Wir folgten also dem Prälaten und eilten in das kühlende klare Wasser, das die Reize unserer Nymphen nur auffrischte, sie unseren Blicken aber nicht entzog. Die Morgenmäntel, die sie abgestreift hatten, wurden durch ihre aufgelösten Haare ersetzt, die in langen Locken wie ein durchscheinendes Kleid um ihre zauberhaften Glieder bis zu den Hüften flossen. Das Wasser reichte den Schönen nur bis zu den Brüsten, hin und wieder tauchten sie bis zum Kinn unter, und wenn sie wieder emporkamen, so erweckte die Feuchtigkeit auf ihren elfenbeinfarbenen verführerischen Brüsten den Eindruck, als wäre es der frische Tau, wie man ihn auf ausgereiften, prallen Pflaumen findet und den man Reif oder Schmelz nennt. Mit welcher Gier wir Männer uns beeilten, diesen abzuküssen, welche Sprünge wir machten und welche Kurzweil wir doch in diesem Bassin trieben!

Unsere vier Najaden waren schön, doch jede in ihrer Art anders. Signora Magdalani, verhältnismäßig groß, hatte etwa die Formen, die wir an Mademoiselle Saucerotte in der Rolle der Dido bewundert haben. Ihre langen kastanienbraunen Haare hoben den Schimmer der von azurblauen Äderchen durchzogenen milchweißen Haut hervor. Ihre fülligen Formen beließen ihr die Frische, die sie unweigerlich durch den häufigen Liebesgenuß eingebüßt hätte, wäre sie so schlank geblieben, wie sie es mit zwanzig Jahren war. Bei Laura, viel kleiner als ihre Mutter, doch anmutig gebaut, fielen über ihre jungen Brüste eine Fülle aschblonder Haare; sie hatte blaue Augen, lange Wimpern, die ebenso schwarz waren wie die schön gebogenen Brauen; im übrigen verdiente sie mehr als ehedem die Thévenin den Namen Pique-As. Ich werde es an dieser Stelle unterlassen, noch einmal Madame de Valbouillant und die liebliche Babet zu beschreiben. Die erstere hatte, wie schon gesagt, zwei Wonnehügel, die so prall waren, daß man sie dort nicht kneifen konnte, zwei Reihen Zähne wie Perlen und den dahinschmelzenden Blick, wenn sie kurz vor dem höchsten Genuß der Wollust stand. Babet mit ihren dunklen Augen und ihrem kastanienbraunen Haar glich Hebe, der Göttin der Fortpflanzung, da sie Herkules weckt.

Nach unzähligen gegenseitigen Schäkereien verfolgte Madame de Valbouillant, ausgelassen wie Sappho mit ihren Gespielinnen, die junge Laura, warf sie auf ein Büschel Schilfgras und ließ uns das Rot und Rosa inmitten ihres

Pique-Asses sehen. Währenddessen war der Marquis zu den beiden geeilt, drehte das Stiftsfräulein auf die Seite, legte sich selbst auf den Rücken und drang ihr in die purpurrote Raute, während seine Frau die Kleine weiter am Lustzapfen kitzelte. Der Bischof hatte sich in der Zwischenzeit Babet vorgenommen und sie so neben das auf und nieder tanzende Paar flankiert, daß Babet mit ihrem Spielfinger ihrer Herrin den gleichen Dienst erweisen konnte wie jene der kleinen Laura. Und um das Quintett zu einem Sexspänner werden zu lassen, legte sich Signora Magdalani auf ihren Bruder, umfaßte dessen presto vibrierende Lenden und bot mir durch diese Stellung Hauptportal und Hintertür zur Auswahl an. Zuerst heizte ich die Signora im Hinterzimmer an, bis sie in hellen Flammen stand, dann drang ich durch die Vordertür ein und löschte den Brand mit einem vollen Erguß. Der frohgemute Gegensatz zwischen dem kühlenden Naß des Wassers und der Hitzigkeit unserer Begierden putschte die Sinnenlust so auf, daß wir einhellig fühlten, es könne keine Steigerung der Verzückung mehr geben.

Wir verließen das Bad ebenso frisch, wie wir hineingegangen waren, und leerten die Schale Punsch, die der Bischof am Bassinrand bereitgestellt hatte. Ich machte dabei den Mundschenk, und alle fanden, daß ich dies mit ebensolcher Anmut tat wie der phrygische Prinz, der Jupiter den Nektar servierte.

Unsere Schönen legten wieder ihre Morgenmäntel an, wir ein leichtes Gewand aus Taft; so kehrten wir in den Salon zurück, wo wir die zärtlichsten Liebkosungen austauschten. Signora Magdalani machte dabei die Bemerkung, daß in einem Kreis von Menschen, so bezaubernd er auch sein möge, doch immer eine Einbuße darin bestehe, daß es mehr Glocken als genügend Klöppel gebe und daß, untersuchte man die Angelegenheit nach der physisch-mathematischen Proportion, es sich mehr gehörte, wenn sechs Männer mit vier Frauen, und daß es, um des lieben Friedens willen, nötig wäre, die Zahl der Männer zu verdoppeln.

Der Bischof stimmte zwar dieser Theorie seiner Schwester zu, wies jedoch auf die Schwierigkeit hin, dies in die Tat umzusetzen, ohne seinen Ruf zu riskieren, der doch die Grundlage für den Wohlstand seiner Familie bildete. Die Signora, beschämt, wußte nicht, was sie antworten sollte, als Laura das Wort nahm und ihren Onkel an die Kleinode erinnerte, die er so gefällig gewesen war, ihr über ihre Tante, die Visitantin, zukommen zu lassen. Der gute Prälat lächelte, alle bedrängten ihn deswegen, und schließlich bedeutete er seiner Nichte, ihre Kleinode herbeizuholen, falls sie noch welche besäße.

»Und ob ich sie noch habe!« rief diese. »Sie sind mein ganzer Trost gewesen, seit Sie sie mir zum Geschenk gemacht hatten!«

Mit diesen Worten zog sie aus ihrem Pompadour zwei der schönsten Nonnentröster, die das Kunsthandwerk als Ersatz für den männlichen Glockenschwengel erfunden hat: Eine zinnerne Röhre, naturgetreu gebaut, verkleidet mit rotem Samt, ausgerüstet mit einem Druckkolben, der, je nach Bedarf, heiße Milch verspritzte. Die fromme Äbtissin vom Visitantinnenorden hatte, aus Sorge um das sinnliche Wohl ihres Klosters, den Prälaten, ihren Cousin, gebeten, ihr verschiedene Kaliber von diesen Samthanseln für die Postulantinnen, die Novizen und die Klosterschwestern zu besorgen. Um sicher zu sein, daß ihre Gemeinschaft nicht brachliegen würde, hatte sie sich einige als Reserve beiseite gelegt, die nunmehr, da die religiöse Begeisterung nachließ und jedes Nönnchen mit dieser

Mönchsprothese ausgestattet war, bei ihr ungenutzt lagen. Der Bischof, die Bedürfnisse seiner geliebten Nichte vorhersehend, hatte von seiner Cousine zwei zurückerbeten, und die fromme Mutter Äbtissin, eifrig um das Seelenheil ihrer jungen Verwandten besorgt, hatte die Gürtel, an denen diese ›tragbaren Ehemänner‹ befestigt waren, mit dem Bild des Agnus Dei und mit geweihtem Palmholz geschmückt, womit sie den Namen des ›Holzes vom wahren Kreuze Christi‹ ehren wollte, damit sie die Gedanken Lauras, wenn diese vom Kloster fern war, zu Gott erhob.

Die von der Liebe aufgeputschte Gesellschaft im Salon bewunderte das Genie des Erfinders als auch die Art, wie der Handwerker dieses Werkzeug ausgeführt hatte. Die ausgelassene Babet wollte sich auf der Stelle diesen geweihten Gürtel um die Hüften binden, doch auf die Vorstellung des Stiftsfräuleins hin mußte sie abwarten, bis die dazu notwendige Milch herbeigeschafft und auf die entsprechende Temperatur erhitzt worden war.

Um die Zeit, bis dies geschehen, abzukürzen, schlug jemand vor, daß unsere Schönen wahrheitsgetreu von einem ihrer Abenteuer erzählten. Der Vorschlag wurde von allen mit Freuden angenommen, und Signora Magdalani als die älteste Dame in unserem Kreise berichtete uns folgendes:

Von Signora Magdalanis ersten Liebesfreuden

»Ich verlor meine Mutter, als sie mich zur Welt brachte. Mein Vater ließ mich auf das kleine Schloß meiner Tante, das nicht weit von Nizza lag, bringen. Da diese im Müßiggange lebte, hatte sie nichts anderes zu tun, als sich der Frömmigkeit zu weihen, und so verbrachte sie ihre Tage in der Kirche oder schwatzte mit den Nachbarinnen. Sie war es, die mich die Litaneien der Heiligen Jungfrau lehrte, und so sprach ich mit aller dazu gehörigen Emphase: ›Turm aus Elfenbein, geheimnisvolle Rose, auserwähltes Rüstzeug, betet für uns!‹ Doch, um ehrlich zu sein, mit diesen unzusammenhängenden Anrufungen verband sich mir kein Sinn. Meine Tante indessen beglückwünschte sich zu ihrem Lehrtalent wie zu meinen Anlagen, die sie beförderte, weil ich bereits mit zwölf Jahren die sieben lateinischen Bußpsalmen auswendig hersagen konnte, zum Beispiel das ›Salve Regina‹ und das ›Angelus‹. War meine Tante ausgegangen und ich war mit dem Saumnähen fertig, das sie mir anzufertigen aufgegeben hatte, so lief ich in den Park, um mich mit den Kindern des Gärtners Marcel auszutoben. Der älteste von diesen Knaben war ein kleiner liederlicher Schlingel von etwa fünfzehn Jahren, wettergebräunt, mit aufgewecktem Gesicht, einem Doppelkreuz und breiten Schultern. Die Haushälterin des Pfarrers, eine Witwe des Glöckners und zwischen vierzig und fünfzig Jahren alt, hatte es auf sich genommen, ihm Unterricht zu geben, und hatte sich für ihre Lektion bezahlen lassen. Sobald ich auf der Bildfläche erschien und meine aufblühenden Reize ihn stärker fesselten als die überalterten seiner Lehrerin, suchte er ungeduldig die Gelegenheit, mir von seinen Kenntnissen mitzuteilen, die er erworben hatte, doch ich übertrumpfte ihn. Eines Abends, da ich im Park spazierenging, um Luft zu schnappen, und er ein Beet mit Lattich pflanzte, schaute ich ihm zu, wie er in die Löcher, die er mit dem Stock gegraben hatte, die Wurzeln einpflanzte. Ich stellte ihm einige Fragen über seine Arbeit, und er fühlte sich geschmeichelt, mit der Naivität seines Alters und seiner Bildung, mir zu antworten. Sodann verschlang er mich mit glühenden Blicken, obwohl er seine Augen niedergeschlagen hatte.

›Ich habe‹, sagte er, ›noch einen anderen Pflanzstock, der mehr taugt.‹

›Wenn du meinst, dann laß ihn mich einmal sehen, wie du mit ihm umgehst!‹

›Oh, mit dem geht man nicht in der Erde um, sondern man benutzt ihn im Treibhaus.‹

›Nun gut, das ist gleich nebenan, gehen wir dorthin!‹

›Nur zu gern‹, sagte er, ›folgt mir!‹

Der Eifer, darüber etwas zu erfahren, war es, der mich ihm folgen ließ.

›Nun laß einmal deinen Pflanzstock sehen!‹

›Also gut, sofort!‹

Er warf mich auf einen Humushaufen, und mit der einen Hand legte er mein Beet bloß, das er kultivieren wollte, mit der anderen Hand ließ er seinen herrlichen Pflanzstock sehen. Überrascht und neugierig, wie ich war, nahm ich ihn in die Hand.

›Wie steif und fest er ist!‹ sagte ich. ›Er muß wohl leicht eindringen!‹

Er: ›Dieser Pflanzstock kann alles. Er gräbt das Loch, er kann einpflanzen und begießen.‹

›Na, dann laß einmal sehen, wie du das anstellst!‹

Ich glaubte, er würde ihn in den Humus einrammen, doch ich täuschte mich, denn der Schlingel, der meine Lage ausnutzte, stürzte sich in meine Arme, hob meine Beine unter seine Arme, zog mich an sich, sammelte all seine Kräfte und drang, alle Hindernisse hinter sich lassend, in den Winkel, wo die Wollust noch ihren Dornröschenschlaf hielt. Er hatte das Prinzeßchen aufgeweckt, was nicht ohne Schmerz abging, und ich machte alle Anstrengungen, um mich zu befreien. Doch seine muskulösen Arme ließen mich nicht los. So blieb ich an dem Humushaufen kleben und ergab mich, obwohl unfreiwillig, in den Schmerz, den ich erlitt. Doch nicht lange, und der Schmerz schwand nach und nach. Dieser Gartengast, der mir zuerst so schrecklich erschien, wurde nunmehr in meinen Augen zu einem Tafelfreund, in dessen Gesellschaft man sich wohlfühlen konnte, und ich wünschte bereits weniger, daß er sich zurückzog. Allmählich ertrug ich meinen Schmerz mit Geduld und hatte bald darauf nur noch die Befürchtung, daß er den in hellen Flammen stehenden Ort, dem er schließlich die höchsten Wonnen bereitete, verlassen könnte. Mein Sinnenrausch nahm immer mehr zu und beruhigte sich erst durch den reichlichen Erguß eines Balsams, der meine Wunden kühlte und mich auch innerlich die süßesten Freudentränen vergießen ließ. Als seine Leidenschaft abgeklungen war, kam der Pflanzstock in weniger bedrohlichem Zustand wieder zum Vorschein. Ich war geradezu verdutzt über die Schlaffheit, in der er sich befand; ich nahm ihn neugierig in die Hand und sah mit Erschrecken, daß er rot von meinem Blute war. Jedoch verzieh ich ihm sein rohes Vorgehen und war eigentlich nur betrübt über seinen schlaffen Zustand.

Bastien, so hieß der Sohn unseres Gärtners Marcel, beschaute sich die Verwüstung, die er bei mir angerichtet hatte, und das, was er sah, und meine warme Hand, die seinen Pflanzstock noch umfaßt hielt, belebten seinen Stolz, und ich hätte wohl diesen wieder gebrochen, wenn uns Geräusche nahe beim Gewächshaus nicht gestört hätten. Es war meine Tante, die von der Abendandacht nach Hause kam und ihren Rückweg durch die kleine Parktür genommen hatte. Mein zerknitterter und von der Humuserde beschmutzter Rock, mein glühendes Gesicht und mein ganzes verlegenes Verhalten weckten ihren Verdacht. Eine alte Betschwester, die in ihrer Begleitung war, bestärkte diesen noch durch frommes Gerede. Das Ende vom Lied war, daß man meine Unterwäsche examinierte, und nachdem man gefunden, was man gesucht, mußte ich unverzüglich in ein Kloster, wo ich bis zu meinem fünfzehnten Lebensjahr blieb. Danach verheiratete man mich an einen Mann, der mich für eine Jungfrau hielt.«

»Wie, Mama, er hat nicht bemerkt, daß ...?«

»Nein, mein Herz! Der kleine Bastien hatte mir zwar ein Loch gebohrt, doch er war noch zu jung, um eine größere Grube zu schaufeln. Und dein Vater glaubte, daß ich mich während der drei Jahre im Kloster der dort üblichen Hilfsmittel bedient hätte. Ich bestärkte ihn in seiner Meinung durch ein entsprechendes Geständnis, um gar nicht erst schlimmere Gedanken aufkommen zu lassen.«

Die schöne Italienerin hatte kaum ihre Erzählung beendet, da verkündete uns schon Babet, daß die Milch warm wäre. Sie brachte sie in einer Kaffeekanne und füllte sie in die beiden Nonnentröster; sodann band sie sich den größeren um die Hüften und forderte die schöne Laura auf, ihn mit ihr auszuprobieren. Obwohl das Stiftsfräulein darauf brannte, zauderte sie doch, da die liebliche Babet von niedriger Herkunft war.

»Eine schöne Vorstellung von Adel!« sagte der Prälat. »Wenn Babet auch nicht von erlauchter Geburt ist, so ist sie doch durch ihre Bauchschwägerschaft geadelt. Sie kann ihr Wappen mit meinem Siegel, mit dem des Prinzen Hic & Hec und dem des Marquis schmücken.«

Bei diesen Worten gab Laura nach und ließ Babet gewähren. Während sich die beiden mit der Prothese verbanden, drückte ich mich von hinten an Babet und erwies ihr den gleichen Dienst auf die natürliche Art. Ich saugte mich mit dem Mund an ihrer Schulter fest. Während ich mit der linken Hand die Hüften der schönen Laura preßte, glitt meine rechte zwischen die Brüste der beiden Mädchen und knetete gierig deren elastische Auslagen. Wie wir drei so am Wirken waren, verabreichte sich Signora Magdalani selbst die zweite Spielrübe, und Valbouillant, ihre Gunst genießend, kam ihr auf dem hinteren Wege entgegen. Um einen Blick auf den Prälaten zu werfen: Er suchte mit schmeichelnder Zunge nach Götterspeise in der tiefen, engen Wollustgrotte der gefälligen Madame de Valbouillant, die ihrerseits auf der Hirtenflöte des Kirchenfürsten ihre himmlisch lockenden Melodien blies.

Die Frauen probierten eine nach der anderen diese wohltätigen Lustspritzen aus, und die große Kaffeekanne war bereits fast geleert, als unserem findigen Prälaten der Einfall zu einem neuen Experiment kam. Er nahm den größeren der beiden Tröster, schnallte ihn sich so um, daß er etwas unterhalb seiner Hüften nach hinten stand, gleich einem auf englische Art gestutzten Pferdeschwanz, stellte sich sodann in die enge Gasse zwischen zwei genügend hohen Betten, plazierte seine Nichte auf das eine und seine Schwester auf das andere, und zwar so zwischen sich, daß ihre Oberkörper auf das eine Bett und ihre Beine auf das jeweils andere Bett zu liegen kamen; auf diese Weise etablierte er sich auf natürliche Art im Tempel seiner Nichte und mit dem Tröster in dem seiner Schwester ein. Mit schnellen Bewegungen, die er vollführte, bediente er zu gleichem Vorteil die vordere wie die hintere Empfängerin. Und als er seine natürlichen Säfte steigen fühlte und entlud, betätigte er die künstliche Spritze, so daß alle gleichzeitig die Wogen der Wollust genießen konnten.

Diese Stichprobe war die letzte an diesem Abend. Köstliche Früchte und ausgezeichnete Liköre erfrischten die kleine Gesellschaft und ließen sie wieder zu Kräften kommen. Anschließend ging man, ein jeder für sich, zu Bett, um sich ungestört der Ruhe des Schlafes zu überlassen, die alle nach den genossenen Freuden des Liebeskampfes nötig hatten.

Im übrigen muß an dieser Stelle eines nachgetragen werden: Der Prälat war ein Mann, der seine festen Prinzipien und Regeln bei Orgien hatte, die mit religiöser Strenge und Folgsamkeit einzuhalten waren. Für alle Mitglieder einer solchen Nacktballgemeinde war verbindlich, daß Gemeinnutz vor Eigennutz ging, daß also auch die Freuden allen gemeinschaftlich gehörten. Keine der Freuden oder Vergnügungen durfte vor den lüsternen Blicken der anderen Teilnehmer verborgen gehalten werden; ein solches Vergehen konnte mit Ausschluß geahndet werden. Verboten war fernerhin den Frauen, sich insgeheim einen Kost oder Schoßgänger zu halten, denn das würde bedeuten, die Gemeinschaft um etwas zu bringen, was geteilt werden müßte. Dahingegen war alles erlaubt, sofern man vorher kundtat, was man zu tun beabsichtigte, damit alle teilhaben konnten, falls es sie danach gelüstete.

Am Morgen des folgenden Tages, nach neunstündigem erholsamem Schlaf, verließen unsere Schönen das Zimmer:

Alors belles sans art, dans le simple appareil
De beauté que l'on vient d'arracher au sommeil.
Und schön, ganz ohne Schmuck im schlichten Kleid
der Reize, wie man sie aus dem Schlaf gerissen.

(Racine, Britannicus)

Sie liefen von Zimmer zu Zimmer. Laura, als erste aufgestanden, befand sich bereits in dem ihrer Mutter, die sie in ihre Arme schloß, um ihr die Freude zu bezeigen über die Freiheit, die sie ihr am Abend zuvor gewährt hatte. Sie küßte die Signora und sagte:

»Ach, Mama, wie schön du doch bist! Erst seit gestern kenne ich deine Reize; die Ehrfurcht, die ich bisher vor dir hegte, hat mir mehr Zurückhaltung als Liebe eingeflößt. Seitdem du mich an deinen Freuden hast teilhaben lassen, schwimmt mein Herz auf den Wogen der Wonnen, und ich fühle, daß es mich glücklicher machen würde, dir solche zu bereiten, als die von einem Manne, selbst dem verführerischsten, zu empfangen. Da, sieh nur deine Brüste, die ich dir soeben geküßt habe!«

»Ich fühle ebenso, mein Kind, aber ...«

»Was aber? Wer könnte uns daran hindern, unsere gegenseitigen Begierden zu befriedigen?«

»Hast du unsere Vereinbarungen vergessen?« Und Signora Magdalani erinnerte ihre Tochter an die Bestimmung, daß keinerlei Vergnügen den Augen der anderen verborgen bleiben dürfte.

»Also gut, Mama«, sagte Laura, »gehen wir nach unten

zu den anderen und sagen wir ihnen, was wir möchten; sie sollen dabeisein, wenn sie wollen. Aber eines schwöre ich dir: Ich erlaube keinem mir gegenüber irgendwelche Zärtlichkeiten und werde auch keine irgendwem erweisen, bevor du nicht einwilligst, daß wir einander unsere Leidenschaft teilen.«

Valbouillant und der Bischof kamen gerade hinzu, als Laura dies sagte, und die Tochter teilte ihnen ihre Absichten mit. Und als auch ich mit Madame de Valbouillant und Babet hinzustießen und wir hörten, worum es ging, ersuchte ich dringend Signora Magdalani, den Leidenschaften ihrer Tochter nachzugeben, damit sie beide wie – der denen der anderen zur Verfügung ständen.

»Also, Mama«, rief Laura, »was zaudern wir noch? Komm auf dieses Sofa dort!«

Da die Signora zögerte, meinte der Marquis:

»Wir wollen uns zurückziehen, denn hier handelt es sich um Familienangelegenheiten, in die wir uns nicht einmischen sollten! Gehen wir in den Salon, unsere schönen Freundinnen werden schon nachfolgen, wenn sie die Lust dazu verspüren.«

»Sind alle mit dem Vorschlag einverstanden?« fragte der Bischof und schaute uns drei an.

»Aber gewiß«, erwiderten wir einstimmig, »doch da es eine Familienangelegenheit ist, sollten Monsignore doch dabei zugegen sein.«

»Nein«, versetzte Laura lebhaft, »wir brauchen nicht lange und werden also bald in den Salon nachkommen!«

»Wie es dir beliebt«, meinte der Onkel Bischof lächelnd, »wir haben genug auch ohne euch beide zu erledigen, denn das Frühstück muß bereitet werden.«

Wir gingen hinunter in den Salon. Mutter und Tochter traten wieder ins Zimmer, aus dem sie gekommen waren.

Die hitzige Laura führte ihre Mutter auf das Bett, das sie soeben verlassen hatten, und warf sich dort in ihre Arme. Nichts, weder Röcke noch Korsetts, behinderte die Raserei ihrer Sinne.

»Was für herrliche Formen!« rief das Stiftsfräulein und bedeckte ihre Mutter mit heißen Küssen.

»Wie frisch und fest du bist!« rief jene zurück und streichelte die geheimsten Reize Lauras.

Ihre Beine verschlangen sich, sie preßten ihre Brüste gegeneinander, und zwischen den halbgeöffneten Lippen schienen sich ihre Zungen zu vereinigen. Die Augen geschlossen, so betasteten und streichelten sie sich, daß ihre Sinne noch mehr in Feuer gerieten; über ihre feuchten Lippen kamen wollüstige Stoßseufzer; wie vom Delirium erfaßt, zuckten ihre Hüften, und ihre geschäftigen Finger wurden vom Begeisterungssaft überschwemmt.

»O meine Venus! O meine Hebe!« riefen sie sich in wilder Leidenschaft zu und drückten sich liebevoll aneinander.

»Oh, ihr Götter ...!« hörte man es noch einmal, dann versagte ihnen die Stimme.

O Sappho! O Raucourt! Habt ihr je so tief eure Leidenschaft empfunden? Die Liebe von Mutter und Tochter schien den Sinnenrausch so zu verstärken, daß auch die reichlichste Entladung den Durst nicht zu löschen vermochte.

Der Bischof, der mit dem Marquis und mir auf Zehenspitzen die Treppe leise emporgestiegen war, hatte ihrem Rausch mucksmäuschenstill und genießerisch zugeschaut, dann brach er sein Schweigen und trällerte ein Stück Arie aus der Oper ›Lucile‹:

»Wo kann man besser aufgehoben sein
als im Schoß der Familie?«

»Da seht ihr einmal«, erwiderte Signora Magdalani, ohne die Fassung zu verlieren, »ihr anmaßenden Sterblichen, daß man ohne euch auskommen kann und daß Laura und ich einander zu genügen wissen.«

»Schon möglich, schöne Dame«, entgegnete ich, »aber da die Quelle des wahren Glücks sich bei Ihnen befindet, müssen Sie zugestehen, daß es unmenschlich von Ihnen wäre, wenn Sie sich weigerten, dort unseren Durst zu stillen.«

»Wir verweigern nichts«, meinte Laura, »vorausgesetzt, Sie zwingen uns nicht, auseinanderzugehen.«

Daraufhin umarmten sie sich von neuem fest. Der Bischof und Valbouillant, flink wie Windhunde, eilten zum Bett und begannen die beiden Schönen, die auf der Seite lagen, nach Art dieser Tiere zu bespringen. Einen Augenblick lang blieb ich Zuschauer, doch bald dieser Rolle müde, ging ich meinen Bischof von hinten an, und seine Bewegungen zeigten mir an, daß er meine Rückvergütung annahm. Nicht lange, und kurze Stoßseufzer, langes lustvolles Stöhnen und leichtes konvulsivisches Zucken von Mutter und Tochter verrieten uns, daß ihre Quellen wieder überflossen. Wir pumpten noch mehr drauflos und verlängerten so ihre Trunkenheit, bis daß auch unsere Schleusen sich öffneten.

Madame de Valbouillant und Babet, die während des Gefechtes hinzugekommen waren, wollten auch nicht untätig sein, hatten sich der Spielplempen bemächtigt, mit denen sie sich, entsprechend den Bewegungen der Hauptruppe, gegenseitig angingen.

Nachdem das Treffen beendet war, erhob und beglückwünschte man sich und begab sich nach unten in den Speisesaal. Gute Fleischbrühen, ausgezeichnete Trüffel in feinstem Olivenöl und mit Anchovis belegte Butterbrote stellten die Kräfte aller Mitstreiter wieder her, dazu trank man die vorzüglichsten Weine. Lose und anzügliche Lieder erheiterten das ausgelassene Frühstücksmahl. Sowie dieses beendet war, machte der Prälat den Vorschlag, in seinen herrlichen Park zu gehen, um sich dort zu verlustieren. Dem wurde allseits zugestimmt, und beschwingt und lachend folgte man dem frommen Mann und seiner reizenden Schwester.

Nichts war, was Geschmack und Vielfalt anbetraf, mit einem solchen Zaubergarten vergleichbar. Akazie und Lärche vereinigten ihre Äste mit der Zeder vom Libanon zu einem Dach. Nicht weit davon warfen ein Trompetenbaum und eine borkenlose Platane mit ihren hohen Wipfeln dem sich durchs Gras schlängelnden kristallklaren Bach wohltuenden Schatten, während die Trauerweide ihre schlanken biegsamen Zweige in das dahinplätschernde Wasser hängen ließ. Veilchen, Rosen, Thymian, Schwertlilien und andere Blumen und Pflanzen überzogen den Rasenteppich und lieferten reiche Ernte der fleißigen Biene, die in den Blüten den belebenden Nektar sammelt, aus dem sie Honig macht. Wohlriechende Sträucher, duftender Jasmin sowie das die Zweige und Äste des Zitronen- und des Orangenbaumes sich hinaufrankende Jelängerjelieber berauschten mit ihren bunten und duftigen Girlanden Auge und Geruchssinn des Menschen. Ein schmaler Pfad, der sich durch dichtwachsende Haselnußsträucher und wilde Maulbeerbäumchen wand, führte zu einer ganz entzückenden Grotte. In dieser Grotte bedeckten künstlich angebrachte bunte Steine, rote Korallen, schimmernde Muscheln und glänzendes Perlmutt die Wände; frisches, glasklares Wasser, durch den Felsen geleitet, sammelte sich in herrlichen flachen Schalen, aus denen es als Kaskaden in granitene Bassins schoß, von denen man meinen konnte, die Natur hätte sie ausgehöhlt. Nirgendwo fiel auf, daß hier Menschenhand am Werk gewesen war, und gerade deswegen war die Wirkung um so größer. Trat man zum Eingang, so war zu lesen: ›Hier verirrt man sich.‹ Im Hintergrund der Grotte, erhellt durch eine in der Wölbung malerisch angebrachte Öffnung, boten dichte blühende Moospolster dem erschöpften Spaziergänger ein bequemes Ruhelager. Über diesem war zu lesen: ›Hier findet man sich wieder.‹

Signora Magdalani streckte sich auf diesem Ruhelager aus und fragte verheißungsvoll lächelnd:

»Wer möchte sich mit mir wiederfinden?«

Ich meldete mich als erster.

»Ich bewundere Ihren Eifer, den Sie unserer Familie bezeigen. Heute morgen haben Sie meinem Bruder Ihren Dienst erwiesen, nun wollen Sie mir gefällig sein, und ich wette, daß Sie, noch bevor wir zum Schloß zurückkehren, auch meiner Tochter, dem reizenden Kind, von Nutzen sein möchten! Doch ich will nicht, daß sich Ihre Kräfte verzehren! Spielen wir mit der Wollust, aber lassen wir uns nicht von ihr hinreißen und weichen wir vor dem Höhepunkt zurück! Madame de Valbouillant und Babet haben heute noch kein rechtes Vergnügen genossen. Mein Bruder und der Marquis sollen sie aufs Korn nehmen; meine Tochter und ich, wir werden uns schon an Hic & Hec Genüge tun. Er hat Geist genug in den Fingerspitzen, und von diesem möchte ich im Augenblick mehr Gebrauch machen als vom Rüssel seines Elefanten. Komm, liebe Laura, setze dich an meine Seite und öffne wie ich deinen Morgenmantel! Seine Hände sollen unseren Muff streicheln, sein Mund soll uns abwechselnd küssen und an deinen und meinen Brüsten saugen; aber laß uns sparsam umgehen mit dem kostbaren Schlagobers, den er an uns verschwenden möchte!«

Ich stimmte dem Vorschlag, den sie mir machte, zu, und wenn die Sinne zu heftig wurden, zwang sie mich einzuhalten, um dann nach kurzer Rast das Spiel wieder aufzunehmen. Laura machte ein so allerliebstes Gesicht, wenn sie zum erwünschten Ziel kam, daß ich dem Verlangen nicht widerstehen konnte, meinen Mund an die Blüte zu legen, aus der der warme Liebeshonig tropfte. Die Bewegung, die ich dabei machte, entblößte meinen Rüssel, der sich in glänzendster Verfassung befand. Die Signora nahm ihn zwischen ihre heißen Lippen und ließ ihn sich so gierig auf der Zunge zergehen, daß mir der Eierlikör ebenso lief wie der Begeisterungssaft ihrer Tochter. Und meine linke Hand, die in Signoras Rosamunde auf Posten geblieben war, empfing den flüssigen Beweis ihrer Ergriffenheit.

Während wir mit solchem Spiel beschäftigt waren, hatten sich Madame de Valbouillant und Babet Rücken an Rücken gestellt und empfingen so den Bischof und den Marquis, deren Stöße mit jeweiligen Rückschlägen eine gleichermaßen einschneidende wie eigentümliche Reaktion hervorriefen.

Nachdem dies Spiel beendet war, wir uns etwas ausgeruht und einige Gläser Punsch getrunken hatten, wurde der Marquis de Valbouillant gebeten, eine kleine Geschichte zum besten zu geben.

Geschichte von der Kupplerin Sarah

Ich weiß eigentlich keine zu erzählen, höchstens die von der schlauesten Kupplerin der Grafschaft. Keine Frau hatte wohl je eine so weitläufige Verwandtschaft wie diese. Sie hatte immer zwei oder drei Nichten, die sie auf der Promenade begleiteten oder ins Theater, und sobald ihre Nichten ein wenig zu bekannt geworden waren, zogen sie sich nach Orange oder Carpentras zurück, wo sie alsdann das, was sie bei Tante Sarah gelernt hatten, weitergaben, die ihre Nichten dann durch neue ersetzte, die aus den Dörfern der Umgebung kamen. Diese bildete sie dann mit der gleichen Sorgfalt aus wie die vorangegangenen.«

»O ja, ich erinnere mich«, sagte der Bischof, »Sarah ist klein und dick, hat eine niedrige Stirn, tiefliegende Augen, rotes Haar und eine Nase mit Pickeln.«

»Richtig, und gewiß seid Ihr schon mehr als einmal ihr Neffe gewesen.«

»Ich will das keineswegs ableugnen, doch was ist ihr denn geschehen?«

»Gestern, als sie mit Justine, ihrer jetzigen Nichte, auf dem Wall promenierte, hatte sich ihnen ein Kaufmann aus Basel angeschlossen. Man war ins Gespräch gekommen; sie, die Nichte, hatte sich zuerst ganz züchtig benommen, doch dann war sie aufgeknöpfter geworden, und der gute Baseler hatte sie zum Souper eingeladen. Sarah, immer da, wenn es sich ums Essen handelt, hatte das Anerbieten angenommen, und man war übereingekommen, daß der Kaufmann anschließend mit der Nichte schlafen dürfe, sofern er auf dem Nachttischchen zehn Louisdor hinterlegte, von denen er je einen nach jeder Nummer, die er der aufschlußreichen Nichte liefern würde, zurückerhalten sollte. Sarah, die bisher nur mit eleganten Franzosen oder biederen französischen Bürgern Geschäfte gemacht hatte, war der Meinung, daß der Schweizer nicht mehr als ihre tatkräftigen Landsleute zu leisten vermöchte, und beeilte sich also, handelseinig zu werden. Das Souper verlief in fröhlicher Stimmung, man sprach fleißig dem weißen und dem roten Burgunder zu; die Alte hatte gegessen und getrunken wie zehn Scheunendrescher und war dabei immer munterer geworden. Sodann hatte sie den beiden zum Bett geleuchtet. Sie hatte gesehen, wie das Gold auf das Nachttischchen gelegt wurde, und hatte sich dann zurückgezogen, um das glückliche Paar in Ruhe sein Geschäft erledigen zu lassen. Als sie um neun Uhr in der Frühe in das Zimmer von Justine kam, hatte sie kein Geld mehr auf dem Nachttischchen vorgefunden, und der Schweizer hatte behauptet, daß sie ihm zwei Louisdor schulde. Justine, befragt nach den vorgefallenen Tatsachen, hatte die Behauptungen des Schweizers bestätigt. Da hatte die Alte noch lauter geschrien, doch der Schweizer, um sie zu beruhigen, hatte sie aufs Bett geschmissen und machte ihr den dreizehnten Louisdor zum Geschenk. Sie hatte ihr Leid mit Geduld ertragen, doch schwur sie bei allen Heiligen, daß sie solchen Handel nur noch mit Franzosen abschließen würde.«

»Die Nichte war weniger schlecht gestimmt«, bemerkte der Bischof, »als die Tante.«

Madame de Valbouillant fügte hinzu, daß der gute Baseler sich zweifelsohne so verhalten habe, um den zwölf heiligen Aposteln zu huldigen, und Judas sich für die alte Sarah vorbehalten habe.

»Wie dem auch immer sein möge«, versetzte ich, »ich würde mich auch zum Schweizer machen lassen, wenn ich sicher wäre, solche Talente zu erhalten.«

»Wenn man so wie Sie versehen ist, Abbé, braucht man solche Wünsche nicht zu hegen! Sie sind der leibhaftige Beweis dafür, daß der Priesterstand immer noch die für die Liebe allertauglichsten Partner liefert.«

Für dieses Lob mußte ich mich bedanken. Ich umarmte Madame de Valbouillant, sie indessen prüfte mit der Hand, ob ich auch jetzt noch ihres Lobes würdig sei, das sie mir soeben gespendet. Die Verfassung, in dem sie meinen Meister Iste fand, ließ sie tief aufseufzen.

Neue Belustigungen

Nachdem so alle Kommentare über die Geschichte der Kupplerin Sarah verflogen waren, dachten alle über neue Belustigungen nach, deren man sich bis zur Stunde des Mittagessens hingeben könnte.

»Der Abbé«, schlug Madame de Valbouillant vor, »sollte uns mit einigen Spielen bekanntmachen, die er auf der Schule gelernt hat.«

Ich sagte, daß die gebräuchlichsten und somit die beliebtesten Spiele ›Das schmelzende Pferd‹, ›Heiße Hand‹ und ›Schlotwind schlucken‹ gewesen seien.

»›Heiße Hand‹«, sagte Laura, »habe ich selbst des öfteren im Kloster mitgespielt. Ich stand dabei manchmal eine Viertelstunde, ohne zu gewinnen. Mir war das Spiel langweilig, denn zuletzt hatte ich nur eine eingeschlafene Hand.«

»Gäbe es vielleicht nicht doch eine Möglichkeit«, fragte der Bischof, »das Spiel pikanter zu machen?«

»Höchstens die, daß diejenige, die das Rätsel löst, mit der erratenen Person anstellen könnte, was sie wollte.«

»Das wäre zweifelsohne eine Variante«, meinte Signora Magdalani, »aber dennoch werden wir dabei wenig gewinnen, da unser Wille sowieso für die Männer unseres kleinen Kreises Gesetz ist.«

Hierauf zog man ›Das schmelzende Pferd‹ in Erwägung, fand es jedoch zu gefährlich für die Lenden desjenigen, auf dem die Hauptlast ruhen würde. Also verwarf man auch das. Das Spiel ›Schlotwindschlucken‹ fand, als man es beschrieben hatte, mehr Anhänger. Aber drei Männer auf vier Frauen, das ging nicht auf, doch Signora Magdalani verzichtete in selbstloser Weise und bot sich als Schiedsrichter an.

»Dafür«, entschied der Bischof, »empfängt die Signora als Entschädigung die Liebkosungen des Paares, das gewonnen hat.«

Nachdem alles so vereinbart war und wir die Morgenmäntel und Überwürfe abgelegt hatten, begann das Spiel. Der Prälat nahm die knusprige Madame de Valbouillant, der Marquis wählte Laura, und ich bekam meine liebenswerte Babet zugesprochen. Bald auf meinen Händen, bald auf meinen Füßen, auf diese Weise hatte ich meine Augen gerade vor ihren wohlgerundeten appetitlichen Hügeln und ihrem anmutigen Lustgebüsch, das die Ränder ihres Jungbrunnens umgab und worauf ich ab und zu, wenn wir Rad schlugen, meine Lippen preßte. Der Prälat war genauso entzückt von den vorderen wie hinteren Reizen der Marquise, die, einmal auf den Händen, einmal auf den Füßen stehend, bei jedem Halt ihre schmeichelnden Lippen auf den Bischofsstab des frommen Hirten preßte. Valbouillant und das Stiftsfräulein schlugen mit dem gleichen Eifer das doppelte Rad. Wir machten dreimal die Runde in der Grotte. Teils unter, teils über unseren Schönen hielten wir drei Paare schließlich zu Füßen von Signora Magdalani inne, und die Stellung, in der wir uns befanden, ausnutzend, spielten wir die lustvolle Szene des jungen Saturnin mit Madame Dinville nach.

Signora Magdalani sprach mir und Babet den Siegespreis zu. So nahm sie, auf der Seite liegend, mich denn als Belohnung in ihre Arme, und Babet, die sich einen Samthansel umgebunden hatte, ließ ihn in den Ort gleiten, den Venus Kallipygos anbeten läßt. Währenddessen gruppierten sich die anderen vier um uns und suchten das Vergnügen in jeweils den Stellungen, die ihnen beliebten.

Um aber wieder auf mich zu kommen: Ich sammelte mit meiner Zunge zwischen den halbgeöffneten Unterlippen der schönen Magdalani den Wollusthonig; eine meiner Hände glitt an ihrem Schenkel hinab und erreichte den Brunstbusch der ausgelassenen Babet unterhalb des Trösters, den diese auf den engen und abgelegenen Weg der Göttin gebracht hatte, die wir bedienten, und das Streicheln meines Goldfingers an Babets Begeisterungsknöpfchen belebte deren Eifer dermaßen, daß sie die Stöße ihrer Hüften noch beschleunigte.

»O Gott«, rief die Signora, »welche Lust, welches Feuer …! Ich vergehe!«

Ihre Dämme brachen, und sie überschwemmte mich. Doch ich ließ nicht in meinen Bemühungen nach, im Gegenteil!

»Himmel«, hörten wir sie stöhnen, »ich brenne lichterloh, und die Flammen der Lust schlagen noch höher! Oh, wenn ich nur diese anbetungswürdige Babet küssen könnte, die mir solche Wonnen bereitet!«

»Wenn Sie es wünschen«, erwiderte ich, »können wir die Posten tauschen, sie und ich!«

»Nur zu gern, göttlicher Freund!«

Im Nu war der Wechsel vollzogen, der künstliche Kavalier nahm den gebahnten Weg, und ich stieß in den Seitenweg vor. Wie herrlich weiß ihr Rücken war, so glatt und drall, wie wohlgerundet ihre Hüften; alles fest und frisch, so zartgliedrig ihre Schultern, so rund ihre Arme und so feingliedrig ihre Hände! Mein Mund glitt über all diese Schönheiten hin, während meine Hände ihre herrlich gedrechselten Brüste kneteten und diese wiederum von denen Babets gedrückt wurden, die die geiligen Berührungen der Signora Magdalani mit ebensolcher Lust empfing wie die, die sie erregte. Unsere Leidenschaften wurden zu lebhaft, um länger andauern zu können. Unser Rausch war auf dem Gipfel, wir verloren zur gleichen Zeit all unsere Kräfte und lagen wie erstarrt einige Sekunden, um die erregten Wogen zu glätten und das Abklingen des Rausches auszukosten. Der Bischof und der Marquis gossen jedem von uns ein Glas alten Alicanteweines ein, der uns wieder zu Bewußtsein und zu Kräften brachte. Und nachdem wir uns erholt und wieder angezogen hatten, baten wir den Marquis de Valbouillant, uns eines von seinen Abenteuern zu erzählen, bis die Stunde herankam, da uns das Essen im Schloß erwartete.

Das Liebesabenteuer des Marquis in Lothringen

»Ich war zwanzig Jahre alt«, erzählte der Marquis, »war zu dieser Zeit Rittmeister bei den Dragonern, und mein Regiment, das in Lothringen lag, genoß alles Wohlleben, das dieses schöne Land in Überfülle bietet. In der kleinen Stadt, in der wir einquartiert waren, lebte die junge Frau eines alten Generals, der sich auf einer Inspektionsreise befand, mit der ihn die Regierung beauftragt hatte. Seine Frau war musikalisch, hatte eine gute Stimme, konnte recht artig Komödie spielen und tanzte mit Leichtigkeit und Grazie. Ich besaß die nämlichen Talente, und diese Übereinstimmung zog mich an und erweckte in mir den Wunsch, mit ihr näher bekannt zu werden. Ich begleitete sie mit meiner Geige zu einer kleinen italienischen Arie, und meine Beifallsbezeugungen schienen ihr zu schmeicheln. Ich bat sie, ihr den Hof machen zu dürfen, und sie hatte nichts dawider; jedoch eine alte Schwägerin, die immerzu im Salon zugegen war, durchkreuzte mein Verlangen, ihr die zärtlichen Gefühle zu gestehen, die ich für sie hegte. Sie bemerkte dies wohl, lächelte schelmisch darüber, tat aber nichts, um uns von dem lästigen Zeugen zu befreien. Ich steckte ihr heimlich Briefchen mit leidenschaftlichen Versen zu; sie nahm sie entgegen, schien darüber erfreut, doch eine Antwort erhielt ich niemals. Ihr wißt, wie feurig und gleichzeitig ungeduldig ich bin! Ich mußte also all meine Beherrschung aufbieten, um diesen für mich unbefriedigenden Zustand zu ertragen. Es ärgerte mich, daß ich immer nur auf der Stelle trat. Um weiterzukommen, mich ihr ohne einen störenden Dritten erklären zu können und sie gleichwohl nicht zu kompromittieren, schützte ich eine Reise vor, die ich nach Nancy zu unternehmen hätte, wo sie, wie ich wußte, Verwandte hatte. Ich bot mich an, Briefe für sie nach dort mitzunehmen, und bat sie zu diesem Zwecke, sie am kommenden Morgen zum Lever aufsuchen zu dürfen, um diese in Empfang zu nehmen.

›Es ist sehr freundlich und zuvorkommend von Ihnen‹, sagte sie, ›aber ich weiß nicht, ob ich dem zustimmen darf; ich bin nämlich sehr schläfrig und mache immer recht spät Toilette. Sie würden mich nicht gerade sehr vorteilhaft zu Gesicht bekommen.‹

›Oh, Madame, wenn man alle Vorzüge, die die Natur verteilt, besitzt, dann kann die Kunst der Toilette nur schaden. So werde ich Sie in der morgendlichen Unordnung nur um so reizvoller finden.‹

›Glauben Sie? Ich habe da so meine Zweifel, doch als Belohnung für mein Entgegenkommen muß ich Ihnen die Verpflichtung auferlegen, mir ohne Hehl zu sagen, ob ich viel verliere, wenn ich noch keine Toilette gemacht habe. Kommen Sie also um zehn Uhr, dann werde ich auch meine Briefe geschrieben haben!‹

Ein aufmunternder Blick, mit dem dieser Bescheid begleitet war, erfüllte mein Herz mit der süßesten Hoffnung. Am nächsten Morgen kam ich pünktlich zur vereinbarten Zeit zu ihr, wandte mich an Marton, ihre Zofe, um zu ihr vorgelassen zu werden.

›Madame‹, sagte mir diese, ›hat in dieser Nacht wegen einer schrecklichen Migräne kein Auge zugetan und liegt noch zu Bett.‹

›Mein Gott‹, rief ich aus, ›noch zu Bett! Und mit einer

Migräne! Was für ein Pech! Ich hatte mir das Glück erhofft, sie sehen zu können.‹

›Das hatte sie auch erhofft.‹

›Dann muß ich also wieder gehen ...?‹

›Das habe ich nicht gesagt. Wenn Sie in ihr Zimmer hinaufgehen wollen, bitte, Sie sind ein Herr; doch verhalten Sie sich still und sprechen Sie leise, denn bedenken Sie, ihr Kopf ...‹

Nach diesen Worten ging sie mir voraus, und ich folgte ihr auf den Fußspitzen. Sie öffnete das Schlafzimmer ihrer Herrin, ließ mich eintreten, schloß die Tür wieder und nahm den Schlüssel an sich. In dem halbdunklen Zimmer – die Vorhänge waren nur einen Spalt offen – erblickte ich die schöne Adèle wohlig ausgestreckt auf einem eleganten Bett, ein durch eine flachsfarbene Bandschleife nachlässig zusammengehaltenes Korsett ließ zur Hälfte ihre weichen weißen Brüste hervorquellen; ihr durchsichtiges und durch einen unruhigen Schlaf verrutschtes Busentuch ließ eine der rosigen Brustbeeren sehen; ein Teil der Haare, unter der mit kostbaren Spitzen bedeckten Haube frei geworden, fiel in wallenden Locken auf das Elfenbein ihres Halses, zu dem die ebenholzschwarzen Haare einen herrlichen Kontrast bildeten; eine hauchdünne Seidendecke mit einem holländischen Umschlagtuch umschlossen ihren schönen Leib und ließen ihre prächtigen Formen ahnen. Ich näherte mich ihr mit allem Eifer der Liebe und der Schüchternheit, die der Respekt einflößt (ich war ja noch ein Debütant).

›Ach, Sie sind es, Monsieur?‹ sagte sie mit einer Stimme, die sich bemühte, schwach zu klingen. ›Sie müssen schon zugeben, daß ich sehr wenig Koketterie beweise, Sie in dem Zustand der Ermattung zu empfangen, in dem ich mich befinde.‹

›Ach, Madame, die lebhafteste Anteilnahme für Ihren Zustand vermehrt nur noch die Erregung der Gefühle, die mir Ihre Reize einflößen.‹

›Sie wollen mir schmeicheln, Monsieur, denn sehen Sie nur, welche Ringe ich um die Augen habe!‹

›Es ist keineswegs so‹, sagte ich, ›daß, wer den Schaden hat, für den Spott nicht zu sorgen braucht. Mein Herz, das diese Augen entzücken, ist der beste Beweis hierfür.‹ Und nach diesen Worten raubte ich ihr einen Kuß.

›Lassen Sie das, Monsieur, und mißbrauchen Sie nicht das Vertrauen, das ich in Sie gesetzt hatte!‹

Und dabei wehrte sie sich mit einer solch entzückenden Ungeschicklichkeit, die meinen Augen noch mehr Reize entdeckte.

›Wenn jemand einträte, auf welche Gedanken würde der kommen können. Marton, Marton! Wie das, sie ist nicht da ...‹

›Sie ist wieder hinuntergegangen.‹

›Das nachlässige Mädchen ... Aber wenn jemand anderes ...?‹

›Sie hat den Schlüssel mit sich genommen.‹

›Oh, wie böse ich ihr bin ...! Wieso konnte sie das tun? Sie bringt mich wahrhaftig in eine peinliche Lage.‹

›Und mich versetzt sie in die Lage, zum glücklichsten Menschen zu werden, sofern Sie für die zärtlichste Liebe empfänglich sind.‹

Ich wollte mir noch weitere Freiheiten herausnehmen.

›Aber, Monsieur, es wäre grausam von Ihnen, meine Schwäche, in die mich meine Migräne versetzt, zu mißbrauchen. Ich bin sterbenskrank, und Sie ... Lassen Sie mich also, bitte! Ich fühle wohl Ihre Hand!‹

›Oh, diese glückliche Migräne! Wie gut Sie Ihnen steht! Sie läßt Sie noch frischer erscheinen.‹

›Oh, wie kühn Sie sind! Ich bin ja fast gänzlich entblößt ... Nein, Monsieur, halten Sie ein ... Ich bin nicht die Frau, die erlaubt, daß ...‹

Ich hörte nicht mehr auf sie, und meine geschäftigen Hände tummelten sich auf den geheimsten Reizen. Ein Knie hatte ich auf dem Bett und war schon dabei, mich auf sie zu stürzen, um das Bett mit ihr zu teilen, als sie mich zurückstieß, sich selbst mit aller Kraft herumwarf und an der Klingelschnur zog. Ich bekam einen Schreck und fürchtete, sie zu beleidigen, deshalb war ich mit einem Satz aus dem Bett und am Kamin, um meine Kleider wieder in Ordnung zu bringen für den Fall, daß ihre Leute kämen. Den Umständen entsprechend wollten mir schon Worte wie: Undankbare! und andere von den Lippen, als Madame unter Lachen sagte:

›Ich bin gerettet. Er weiß nicht, daß meine Klingel kaputt ist.‹

Mit einem Sprung war ich wieder bei ihr im Bett, doch nun leistete sie mir nur noch, um die Dehors zu wahren, Widerstand. Ich ließ meine Kräfte spielen, sie unterwarf sich dem hochfahrenden Bedürfnis, und nicht lange, da gaben unsere miteinander verschmelzenden Seufzer die Heftigkeit und Hitze unserer Wonnen wider. Kaum hatte ich mein Ziel erreicht, da zog ich im Galopp eine neue Bahn. Bevor wir uns trennten, hatte ich sie sechsmal glücklich gemacht, sie mich fünfmal. Sie nannte mich ihren lieben Dragoner und gab mir einen Schlüssel zu ihrem Zimmer, wovon ich jede Nacht Gebrauch machte, bis Befehle eintrafen, die mich zwangen, diese reizende Gegend zu verlassen.«

Wir zollten der Erzählung des Marquis Beifall, und die Damen priesen seine Tüchtigkeit. Signora Magdalani fragte ihn, welche natürlichen Grenzen, nach seiner Meinung, dem Liebeswerk gesetzt seien.

»Das weiß ich Ihnen nicht mit Genauigkeit anzugeben, doch sind Formen und Reize wie die Ihren dazu angetan, sie zu erweitern.«

»Das ist sehr liebenswürdig, wenn Sie so sprechen, aber nennen Sie mir die Höchstleistung, die Sie erreicht haben!«

»Das war in Brüssel, als ich von der Armee zurückkam und mich lange der Liebe habe enthalten müssen. Ich wandte mich, um das nachzuholen, an einen Lohndiener, der mir auf meiner letzten Reise als Kuppler gedient hatte. Dieser machte mich mit einer Tänzerin namens Aurora bekannt. Sie konnte mich jedoch nicht in ihrer Wohnung empfangen, da sie von einem eifersüchtigen alten österreichischen Offizier ausgehalten wurde; deshalb lud sie mich zum Souper im Hause eines Speisewirtes ein. Einziges Möbel in dem Zimmer war ein großer verstellbarer Fauteuil, wie man ihn auch oft im Biwak der Offiziere vorfindet. Für den ganzen Abend mußte ich zwei Louisdor berappen, doch hatten wir wenigstens ein leidlich gutes Essen. Man servierte uns Gang für Gang, und nach jedem Gang, den man abtrug, legten wir einen auf dem Fauteuil ein. In viereinhalb Stunden waren das neun Gänge, wobei wir keinen Zwischengang ausließen. Aus diesem Grunde wollte mir das großmütige Mädchen dann auch meine zwei Louisdor zurückgeben.«

»Das ist echte Uneigennützigkeit«, rief der Bischof, »oder der Sieg der Liebesleidenschaft über Geld und Geiz; das wunderbare Gegenteil zur Verzweiflung der alten Sarah.«

»Die dicke Kupplerin meinen Sie?« fragte der Marquis.

»Genau die!«

Eine Hand tastete an mir herum und war dabei, meine männliche Zierde wiederauferstehen zu lassen, als die Glocke ertönte und zum Essen in den Salon rief. Das Mahl verlief in fröhlicher Stimmung; der Bischof hatte einen mechanischen Tisch aufstellen lassen, einen solchen wie der, den Ludwig XV. lüsternen Angedenkens von Choisy hatte bauen lassen, um die Schamlosigkeit seiner Orgien vor den Augen der Domestiken zu verbergen. Beim Dessert ließen wir alle Kleider und allen anderen Luxus fahren und beendeten das Mahl splitterfasernackt, so wie es Ravannes von den Gelagen des Regenten uns überliefert hat.

Hier nun befindet sich eine sehr lange Lücke im Manuskript dieser erbaulichen und wahren Geschichte. Sobald wir in der Lage sind, sie zu schließen, werden wir uns beeilen, das verehrte Lesepublikum davon in Kenntnis zu setzen.

Du gibst mir das Leben wieder durch die Hoffnung

Leiden und Leidenschaften des Comte de Mirabeau

Honoré-Gabriel de Mirabeaus Geburt am 7. März 1749 auf Schloß Bignon in der Provence leitete tragische Folgen für sein Leben ein. Er kam, zur Qual seiner Mutter, mit einem Riesenkopf, in dessen Mund bereits zwei Zähne ausgebildet waren, und mit einem schiefen Bein zur Welt. Endlich war wieder für den schöngeistigen und vielschreibenden Marquis de Mirabeau, den Vater, ein Stammhalter in der Familie, denn der erste hatte es nicht weit gebracht, er hatte das Tintenfaß seines Erzeugers ausgetrunken. Kurios an dem neuen Erdenbürger: bei ihm, der einmal der größte und sprachmächtigste Redner seines Jahrhunderts werden sollte, war das Zungenband noch nicht gelöst. Überhaupt schien dieses Kind ein Ausnahmewesen zu sein. Hatte Herakles in der griechischen Sage als Baby irgendwelches Schlangengezücht mit der Hand erwürgt, so muß ihm Mirabeau, was kraftstrotzende Gesundheit anging, nicht viel nachgestanden haben. Der Vater am 15. April 1749 an den Duc de Nivernois: ›Ich habe dir von meinem Riesensohne nichts zu sagen, als daß er seine Amme schlägt, die ihm dann auch nichts schenkt, und sie puffen und stoßen sich beide nach besten Kräften; da sind zwei gute Köpfe zusammengekommen.‹

Das Unglück brach über das Kind im dritten Lebensjahr herein. Es bekam die zusammenfließenden Blattern, als deren traurige Reminiszenz die entsetzlichsten Pockennarben blieben, die nicht nur sein Gesicht, sondern damit auch sein zukünftiges Leben entstellten.

Daß Kinder von ihren Eltern, auch oder besonders in den besseren und höchsten Kreisen, vernachlässigt wurden, war in diesem Jahrhundert nichts Außergewöhnliches; das erklärt sich aus den Vorstellungen von Kindererziehung jener Zeit. ›Les grands aiment leur postérité, et ne se soucient point de leurs enfants.‹ – ›Die Großen der Gesellschaft möchten zwar Nachkommen haben, doch kümmern sie sich in keiner Weise um ihre Kinder‹, schreibt der scharfsichtige Sittenbeobachter Charles Pinot Duclos (1704–1772). Und in den Memoiren der Marquise de Créqui ist zu lesen: ›Der Marquis de Villeneuve meinte, der Papagei seiner Frau würde besser als seine vier Kinder ernährt. Da alle Kinder hungrig waren, weinten sie den ganzen Tag. Einige Knaben revoltierten dagegen: die drei Bethunes und die Choiseuls verbündeten sich und brachen nachts in die Speisekammer ihrer Großmutter, der Duchesse de Sully, ein, um sich Essen zu stehlen. Aber die armen kleinen Mädchen, die nichts Gutes stehlen konnten, waren schlecht dran: sie sollen Katzenfutter gegessen haben.‹ Oder: Der Politiker Talleyrand, der spätere Freund Mirabeaus, wurde gleich nach seiner Geburt einer Amme übergeben, fiel, wenige Monate alt, von einer Kommode, brach sich ein Bein und bekam einen Klumpfuß, wovon die Eltern erst Jahre später zufällig erfuhren. Zerlumpt spielte er in einem Armenvorort von Paris mit den Gassenjungen.

Es war eben nicht so, wie Nathaniel Hawthorne über George Washington meinte: ›Ich stelle mir vor, daß er vollkommen angekleidet geboren wurde, mit gepudertem Haar, und sich bei seinem ersten Auftritt in der Welt gemessen verbeugte.‹

Lieblosigkeit, Ungerechtigkeit und Gleichgültigkeit, die diese Kinder erleiden mußten, obwohl sie zur Vorzugskaste des Ancien régime gehörten, waren alltäglich und haben viele für ihr Leben geprägt.

Im Falle Mirabeaus nun war es so, daß sein Vater sich sehr wohl um das Schicksal seines Sohnes ›kümmerte‹: Er hat ihn sein Leben lang mit Haß verfolgt. Der Stammhalter war durch seine Pockennarben grundhäßlich, was das Ehrgefühl dieses kleinen Provinzadligen verletzte. Er titulierte ihn ›die kleine Fratzenfigur‹, ›das kleine Monstrum‹ (unter ›monstre‹ verstand man dazumal in Frankreich eine Mißgeburt) oder auch das ›Ungeheuer in Miniatur‹. Was aber für diesen Haß wirklich ausschlaggebend war: Der Sohn hatte in Aussehen und Wesen Ähnlichkeit mit seiner Mutter, mit der sich der Marquis auseinandergelebt, die er 1762 aus dem Hause gejagt hatte und mit der er sich über fast siebzehn Jahre hin, also bis zu seinem Tode, einen erbitterten Scheidungskampf, der ein Krieg um ihre Erbschaft war, lieferte. Und mittendrin die elf Kinder, vor allem der älteste Sohn und eine seiner Schwestern, mal auf der Seite der Mutter, mal auf der des Vaters.

So erklärt sich der unverminderte Haß des Marquis, der in der gelehrten Öffentlichkeit durch seine gleichnamige Schrift ›Ami des hommes‹ (Freund der Menschen) genannt wurde. Dabei hätte er allen Grund gehabt, auf seinen Ältesten stolz zu sein oder zumindest von ihm das Beste zu erhoffen. Honoré-Gabriel war zwar wie alle Provenzalen von hitzigem Temperament, hatte einen Hang zum Leichtsinn und eine lebhafte Phantasie, er besaß jedoch auch einen aufgeweckten Geist, lernte gut und schnell, war von einnehmendem Wesen und sprühte von gescheiten und witzigen Einfällen. Als der Siebenjährige am 23. September 1756 aus den Händen eines Kardinals das Sakrament der Firmelung erhalten hatte, machte er beim anschließenden Gastmahl folgende naiv-witzige Unterscheidung, von der er später in seinen Briefen aus dem Kerker von Vincennes berichtet: ›Man erklärte mir, daß Gott nichts Widersprechenderes hätte erschaffen können wie zum Beispiel einen Stock, der nur *ein* Ende habe; ich fragte, ob denn nicht ein Mirakel so ein Stock sei, der nur *ein* Ende habe. Meine Großmutter (väterlicherseits) hat mir das nie verziehen.‹

Sein Onkel, der Bailli de Mirabeau, hatte die Talente des Neffen erkannt und schrieb deswegen an seinen Bruder, den Marquis: ›Ich möchte zu einer Repetieruhr werden, um dir hundertmal den Satz zu wiederholen, daß, wenn der kecke Jüngling mich nicht täuscht ... ja, wenn er durch Gottes Gnade am Leben bleibt, ich dann nicht weiß, ob er von den größten Männern unseres Zeitalters auf andere Weise als durch seine Stellung differiert‹ (Brief vom 22. Mai 1770). Was für ein Horoskop, und wie recht sollte er doch in allem haben! Auch der Marquis schien das von Anfang an gespürt zu haben, trotzdem tat er alles, um seinem Sohn das Leben so sauer wie möglich zu machen. ›Die kleine Fratzenfigur hat sich schließlich in einen Eulenspiegel verwandelt; lebhaft, neugierig, sprachselig, witzig; – er gibt uns Unterhaltung, aber wir bewachen ihn ...‹ (Brief vom 24. Mai 1754 an seinen Bruder).

Ja, er bewachte ihn oder ließ ihn über 30 Jahre streng bewachen. Zuerst in der Knabenanstalt des Abbé Choquart [›Mein unbändiger Sohn hat endlich eine Residenz bekommen nach seinen Verdiensten; ich habe die öffentliche Erziehung geprüft und den Abbé Choquart dazu erwählt. Dieser Ehrenmann ist streng und kennt keine Schonung, wenn bestraft werden soll; ich habe ihn noch ganz besonders darum ersucht.‹ (Brief an den Bruder vom

2. Juni 1764)], dann beim Militär, wo er seinen Sohn, dem er seinen Namen verweigert und ihn Pierre Buffière nennen läßt, in eine Art ›Strafkompanie‹ schickt [›Ich schicke ihn fort als Volontär in die rauheste aller Militärschulen ... Ein Mann, der aus dem eisernen Stoffe einer entschwundenen Heldenzeit gezimmert ist, der Marquis de Lambert, hat ihn in sein Regiment aufgenommen ...‹ (Brief an den Bruder vom 31. März 1767)]. Als der Zögling seinen Obristen, eben den besagten Marquis de Lambert, bei einer Frau aussticht und auch wohl kleinere Beträge Schulden macht, verläßt er aus Angst heimlich das Regiment und flieht nach Paris.

Die Strafe des Vaters folgt auf dem Fuße: Er läßt Pierre Buffière Mirabeau in der Zitadelle auf der Insel Ré bei La Rochelle einsperren. Das ist der erste Gefängnisaufenthalt, den der ungeliebte Sohn erdulden muß. Auf der Zitadelle bleibt er sechs Monate, und die Haft hätte wohl noch länger gedauert, wenn der Marquis ihm nicht den Wunsch gewährt hätte, an der militärischen Expedition Frankreichs nach der Insel Korsika teilnehmen zu dürfen (in der Legion Lothringen). Verständlich, daß der junge Mann seine Freiheit unter allen Umständen wiedererlangen wollte, auch um den Preis eines gefährlichen Abenteuers! Aber der Marquis, hegte er damit vielleicht die Hoffnung, daß seinen Sohn bei diesem Feldzug eine korsische Kugel treffen könnte?

Nun, Pierre Buffière machte seiner Familie in jeder Hinsicht alle Ehre: Er war ein guter Soldat, schrieb während seines Aufenthaltes auf Korsika eine Geschichte dieser Insel, und so häßlich er auch war, so grobschlächtig seine Manieren und so wenig gepflegt sein Äußeres (Geld konnte er von zu Hause nicht erwarten), seine Persönlichkeit setzte sich durch, er gewann die Achtung seiner Kameraden und Vorgesetzten. Er wußte durch seine mitreißende Beredsamkeit, sein Wissen, seinen Geist und Witz zu bestricken. Zeitlebens besaß er die Fähigkeit, Menschen für sich einzunehmen und in seinem Sinne zu lenken, ausgenommen den Vater.

Auf Drängen des Onkels und der Verwandtschaft durfte der Stammhalter des Marquis ab 8. Oktober 1770 den Namen Mirabeau tragen. Damit fing der Leidensweg aber erst richtig an. Man organisierte für ihn die Heirat mit der achtzehnjährigen Émilie de Marignan, die zu den reichsten Erbinnen in der Provence zählte. Wie es der alles andere als ansehnliche Sohn angestellt hat, dieses von vielen reichen Männern umworbene Mädchen für sich zu gewinnen, ist nur zu ahnen. Erzählt wird, er habe es ›kompromittiert‹, was nichts anderes heißen kann, als daß er es durch seine athletische Kraft ›überzeugt‹ hat.

Die Hochzeit wurde im Juni 1772 in Aix mit großem Pomp gefeiert, wie das in der schönen Provence so üblich war. So mußte unter anderem der frischgebackene Ehemann, dem Brauch gemäß, jedem der zahlreichen Gäste ein Geschenk spendieren, und auch die Ehe mußte standesgemäß gerichtet werden; dies alles kostete Geld. Und da sich weder Vater: noch Schwiegervater finanziell entsprechend legitimierten, mußten Schulden gemacht werden, die Mirabeau bald über den Kopf wuchsen. Reaktion des Vaters. Er ließ seinen Sohn durch eine ›lettre de cachet‹ (königlichen Haftbefehl) in die Kerker des Château d'If auf der Reede von Marseille bringen und ihn entmündigen. Wer nicht auf Anhieb weiß, was das für ein Gefängnis war, der erinnere sich des Abenteuerromans ›Der Graf von Monte Christo‹ von Alexandre Dumas. Die Haft dort dauerte sieben Monate, dann wurde Mirabeau im Mai 1775 ins Fort Joux bei Pontarlier in der Franche-

Comté überführt. Er war jetzt siebenundzwanzig Jahre alt, entmündigt und stand unter Kuratel. Zwar war er verheiratet, doch hatte sich das Verhältnis zu seiner Frau gelockert, da diese ihre eigenen Wege ging und sich um den mit dem Makel des Gefängnisses behafteten Mann in keiner Weise bekümmerte.

Bedenkt man, daß Mirabeaus einziges Unrecht darin bestand, daß er häßlich war, einige Jugendstreiche, einige Schulden, Liebschaften und Garnisonszwistigkeiten begangen hatte, die im Vergleich zu den Sitten der damaligen Adelsgesellschaft mehr als harmlos erscheinen, und dafür wie ein Schwerverbrecher von einem Gefängnis zum anderen geschleppt wurde; bedenkt man ferner, welche Begabungen in diesem gewaltigen Kopf und welcher Drang nach Aktivität in diesem herkulischen Körper schlummerten, niedergehalten durch Zwang und Haft; bedenkt man weiter, daß dieser Mann bei jedem Blick in den Spiegel eigentlich Minderwertigkeitskomplexe hätte bekommen müssen und trotzdem den Mut und die Vitalität nicht verlor, dann ist zu ermessen, daß er das Verlangen verspüren mußte, seine verpfuschte Jugend hinter sich zu lassen und aus diesem Teufelskreis der aufgezwungenen Unmündigkeit auszubrechen.

Für einige Zeit sollte ihm dies nur gelingen, als er im Château Joux, ›diesem von einigen Invaliden bewohnten und belebten Eulennest‹, wie er es rückblickend in den Briefen aus Vincennes ausdrückt, einsaß, wo die Zucht weniger streng war und der Gefangene den Gefängnisgouverneur für sich zu gewinnen wußte. So durfte er auch im Hause des Marquis de Monnier, des ehemaligen ersten Präsidenten der königlichen Rechnungskammer von Dôle, dem vornehmsten Hause von Pontarlier, verkehren. Hier nun begann die große Liebesromanze in Mirabeaus

Leben; es sollte auch seine einzige bleiben. Der Marquis de Monnier war ein bejahrter Mann von nahezu siebzig Jahren, dessen Frau Sophie mit ihren achtzehn Lenzen alles andere als glücklich war, da ihre jugendlich-sinnliche Leidenschaft in dieser Ehe unbefriedigt bleiben mußte. ›Ihre Anmut‹, schrieb Mirabeau später, ›ihre Jugendfrische, ihre feine, sanfte, wollüstige Physiognomie, ihre so glücklichen und natürlichen Einfälle, die wie ein Blitz hervorbrechen und um so besser treffen, je unerwarteter sie sind.‹ Und über seine seelische Verfassung lesen wir an gleicher Stelle: ›Ich war unendlich unglücklich, und das Unglück verdoppelte meine Gefühlsamkeit; man interessierte sich lebhaft für mich (sein Schicksal war publik und lief ihm voraus), – man entwickelte mir ohne Vorbehalt alle Reize, die mich unwiderstehlich mit fortreißen können und müssen ... Ich suchte eine Trösterin, und welche bessere, sanftere Trösterin gibt es als die Liebe? Bis dahin hatte ich nur einen Austausch von Galanterien gekannt, der nicht Liebe, sondern nur die Täuschung der Liebe, die durch eine Lüge in ein Laster verwandelte Wollust ist. Oh, wie eisig kalt war solch eine Leidenschaft, die ewig fallende Schneelawine, neben der, die mich mit ihrem Flammennetz umspannt! Ich besitze die Tugenden und Fehler meines Temperamentes, und nur durch Wettergläser erfährt man die wahre Temperatur; macht mich aber auch dieser angeborene Charakter mehr denn gebührlich lebhaft und sogar ungestüm, so bildet er dabei mein zagendes Herz mit jenem Prometheusfeuer aus, das meiner unerschöpflichen Zärtlichkeit zur Nahrung dient.‹ Wortexplosionen eines Mannes, der nie Zärtlichkeit und selten genug Verständnis erfahren hat, im Stil eines Jean-Jacques Rousseau.

Obwohl Mirabeau dem weiblichen Auge alles andere als wohlgefällig erscheinen mußte, das Feuer seines Temperamentes und der Reiz seiner Beredsamkeit bringen die angestaute Sinnlichkeit von Sophie de Monnier zum Sieden. Hinzu kommt, daß sich bei beiden Mißgeschick und Unglück wie Hunger und Durst verbanden. Sie schrieb ihm damals in Pontarlier (sie duzen sich bereits): ›Vermisse nicht den funkelnden Esprit, den du behauptest, verloren zu haben! Weißt du, warum er die Frauen besiegt? Weil er sie verblüfft! Du bringst sie dabei viel weiter, als sie wollen, und sie wissen überhaupt nichts auf deine Überredungskunst zu antworten. Du attackierst ihre Sinne und hast sie gefangen, ohne daß sie es wollen.‹ Die kleine zierliche Frau, sie hatte das Geheimnis der Ausstrahlung dieses Riesenkerls durchschaut!

Was platonisch anfing, wird zur glühenden Leidenschaft. ›Was‹, schreibt ihr Mirabeau, ›du teilst mein Verlangen und widerstrebst noch meinen Leidenschaften! ... Du hast mir dein Herz geschenkt und verweigerst mir deine Gunst! Ich drücke meine Lippen auf deine vor Verlangen schmelzenden Augen. Von deinen Lippen pflücke ich die süßesten Küsse ... Du berauschst mich vor Liebe und willst nicht das Feuer löschen, das du in mir entzündet hast und das mich verzehrt!‹

Er war ganz Feuer, sie ganz Zunder, sie brannten schließlich beide lichterloh. Und der alte Ehemann merkte, wie in einer Novelle Boccaccios, nichts; im Gegenteil, er beförderte unfreiwillig diese Liebe, indem er Mirabeau die freundschaftlichste Zuneigung entgegenbrachte und ihn immer wieder in sein Haus einlud. Anders die Familie von Sophie. Man hatte ihr als Tugendwächterin für die Nacht eine ältere Schwester, ein Stiftsfräulein, beigesellt – auch wie bei Boccaccio –, die durch einen Faden am Arm mit dem Fuß der Bewachten verbunden war. Doch Liebe macht bekanntlich stark und erfinderisch: Die beiden Liebenden verbrachten bei klirrender nächtlicher Kälte heiße Stunden in einem Garten. Schließlich gelang es der jungen Frau, sich der Wächterin und der Aufsicht durch ihre Familie zu entledigen, indem sie bei ihrem Ehemann intervenierte. Sobald das gelungen, war der Moment gekommen, den beide herbeigesehnt hatten: die endgültige Erfüllung ihrer Liebe durch die Flucht ins Ausland. 1776 entflohen sie nach der Schweiz und von dort nach Holland, wo sie sich unter dem Namen Saint-Mathieu in Amsterdam niederließen und ganz der Liebe lebten. Diese Mariage-Concubinage dauerte, solange Geld und Schmucksachen, die Sophie zu Hause hatte schnell zusammenraffen können, für den Lebensunterhalt ausreichten. Als alles aufgebraucht war, blieb Mirabeau nichts anderes übrig, als zu arbeiten. In dieser Zeit der finanziellen Not in Amsterdam, der damaligen Offizin der Aufklärung, wurde er zum Schriftsteller. Sein in Pontarlier verfaßtes Erstlingswerk ›Essai sur le despotisme‹ (Abhandlung über den Despotismus), hier ließ er es erscheinen. Es erregte in Frankreich Aufsehen und wurde von der französischen Regierung verfolgt. Ebenso erschien von ihm der ›Avis aux Hessois‹ (Bekanntmachung an die Hessen), ein Pamphlet gegen den Fürsten von Hessen-Kassel, der seine Landeskinder an England verkaufte, damit sie gegen den Unabhängigkeitskampf der Amerikaner zu Felde zogen. Aus seiner Feder in Amsterdam stammen auch die kleine geistvolle Abhandlung über Musik ›Le lecteur y mettra un titre‹ und viele literarische Gelegenheitsarbeiten.

Verhängnisvoll wurde für ihn, daß er von Holland aus in die bereits erwähnten Prozeßstreitigkeiten seiner Eltern schriftlich eingriff, und zwar zugunsten seiner Mutter.

Das Gericht von Pontarlier hatte zwar den Entführer Mirabeau zu einer Geldbuße von 40 000 Livres und zur

Enthauptung in effigie verurteilt, Sophie zu lebenslangem Kloster – Raub einer Unschuld oder Verführung galt dazumals als läßliche Sünde, Entführung jedoch als Eingriff in die Privatsphäre –, doch eine Verfolgung des Liebespaares kam erst in Gang, als der Marquis de Mirabeau, gereizt durch die Parteinahme seines Sohnes, beschloß, diesen für immer unschädlich zu machen, indem er die Auslieferung der beiden an Frankreich bewerkstelligte. Im Mai 1777 wurden Honoré-Gabriel und die schwangere Sophie verhaftet und nach Frankreich gebracht. Er kam ins Staatsgefängnis von Vincennes, das nach der Bastille zum fürchterlichsten Kerker des Königreiches zählte, sie bis zu ihrer Entbindung in strengen Privatgewahrsam.

Vincennes vollendet die Tragödie von Mirabeaus Leben. Mehr als drei Jahre sollte er in dieser Zwingburg verbringen. Allein mit sich – ohne Papier und Bücher –, damit wollte man ihn geistig zermürben und in den Wahnsinn treiben. ›Ich sollte mich weder mit den Lebenden noch mit den Toten unterhalten‹, schreibt er später rückblikkend. Und es gehörte schon die Vitalität und die Willensstärke eines solchen Titanen dazu, um ohne Schaden an Geist, Seele und Körper in dieser Hölle des Schweigens zu überleben. Doch auch hier gelang es ihm, Menschen, selbst solche verhärteten und verstockten wie die Schließer, für sich zu interessieren und zu gewinnen. Er erreichte es, daß man ihm Bücher, Papier und Schreibzeug besorgte. In seinen ›Briefen aus dem Kerker von Vincennes‹, wie sie nach seinem frühen Tod 1791 veröffentlicht wurden, beginnt er ein schriftliches Zwiegespräch mit der Außenwelt – denn Briefe sind ja doch, für uns Spätergeborene glücklicherweise, verhinderte Gespräche – und enthüllt ein Bild seiner inneren Verfassung: Wut und Trauer über eine verlorene Jugend, Fluch über die despotische Welt, philosophische Gedanken, aber doch vor allem seine Sehnsucht und Liebe zu Sophie, sein Vaterglück, als diese ihm eine kleine Gabrielle-Sophie geboren hat, und sein unermeßlicher Schmerz, als das Kind starb. Es sind tausende von Briefen – die meisten an Sophie, der er sich über alles, was ihn bewegt, mitteilt, um mit ihr zu teilen, der er in aller Offenheit, Unmittelbarkeit und Intensität des Gefühls seine Liebe und Sinnlichkeit immer wieder beteuert und die sie in ebensolcher Weise beantwortet, ihn damit aufrichtet, wenn er verzagt, den Mut zu verlieren beginnt, mit Resignation und Verzweiflung ringt.

ER: ›O meine geliebte Freundin, deinen Brief, deinen köstlichen Brief habe ich erhalten; tausend und abertausend Mal habe ich ihn an meine brennenden Lippen gedrückt ... Liebe Sophie, wie natürlich und rührend ist doch alles, was du schreibst, und wie genau kennst du doch den Weg zum Herzen deines zärtlichen Freundes ... Meine einzige Geliebte, trotzdem ist dein Brief, der mein ganzes Glück ausmacht, traurig. Du verstehst wohl, was ich damit meine. Aber ich weiß nur allzu gut, daß du nicht anders kannst, als traurig zu sein, doch du scheinst mir besorgt, wenn auch nicht über meine Gefühle, wohl aber über meine Gedanken ... Du mein Alles! Mein Gut! Weißt du denn nicht, daß ich nie an deiner Liebe, an deiner Beständigkeit ... zweifeln kann? Weißt du nicht, daß ich dich ebenso verehre, wie ich dich anbete? Ach, wenn ich an meiner Sophie zweifelte, wie könnte ich dann leben?‹

SIE: ›O mein lieber Freund, du gibst mir das Leben wieder durch die Hoffnung, die du wieder geschöpft hast ... Ich weiß auch, daß du nicht so leicht schmeichelst, daß du nicht wie ich deine Hoffnungen am gleichen Tage entstehen und vergehen siehst, deswegen habe ich das größte Vertrauen dazu. O mein lieber Freund, sollte es wirklich wahr werden, daß du frei sein wirst und daß wir uns wiedersehen sollen? Sei es, ich genieße schon drei Viertel meiner Freiheit. Aber ich habe sie oft schon so fern gesehen, daß ich schließlich befürchtete, der Ekel am Leben gewinne letzten Endes die Oberhand. Ich sah, wie du in deinem letzten Brief nach dem Tod riefst, und ich sah auch schon, wie er uns zärtlich trennte, bevor wir wieder vereinigt waren. Gabriel, ich habe dabei heiße Tränen vergossen! Alles verband sich in dem Brief; unter dem Vorwand, mit mir über Tibull zu reden, sagtest du so traurige Dinge. Ich glaubte, du wärest gewiß, daß wir uns nie wiedersehen würden. ‚Ach', sagte ich, ‚Gabriel hat mir so oft gesagt, daß er nicht wünschte, nicht für mich gelitten zu haben, und er verliert den Mut! Er will den Schmerz nicht länger ertragen; der Tod scheint ihm jetzt das Beste.' ... Wie, Gabriel, sterben, ohne dich zu sehen! ... Welche Opfer hat er nicht der Liebe gebracht! Wird er auch dieses noch bringen? Ja, er wird für mich und meine Tochter leben; ich will ihn darum bitten, und er wird mir diese Bitte nicht abschlagen, denn er hat mir nie etwas abgeschlagen ... Ja, mein Freund, wir werden uns wiedersehen; ich glaube es, weil du es mir sagst! Was würde ich nicht alles glauben, wenn du es mir versicherst! Wir werden glücklich sein.‹

Dieser Briefwechsel ist nicht allein ein wertvolles zeitgenössisches Dokument, er gehört durch seinen Gefühlsreichtum – denn so fern und fremd uns diese Zeit und Welt auch ist, ist sie uns doch in Glück und Unglück,

Freud und Leid nah – zum Bestand der Weltliteratur dieses Genres. Wie Sophie, so drückt auch Mirabeau all sein Leid, seine Enttäuschungen, seine Hoffnungen, die Erinnerung an erlebtes Glück, erträumte Seligkeiten und die wild sich aufbäumende Sinnlichkeit aus. Überhaupt bäumt sich in Mirabeau alles auf, und durch Schreiben versucht er es zu kompensieren: seine Liebe und den fehlenden lebendigen Kontakt – er schreibt Briefe, unter anderem an Sophie; seinen Gerechtigkeitssinn – er schreibt eine Abhandlung über die verhaßten ›lettres de cachet‹ und Gefängnisse des Regimes; seinen Drang zu aktiver Lebensbetätigung – er übersetzt Boccaccio, Tibull, die ›Basia‹ des Johannes Secundus; die ihn quälende Sexualnot – er verfaßt erotische Romane wie ›Ma conversion ou Le libertin de qualité‹ oder eben auch ›Hic & Hec‹.

All dies zusammen ist wie eine Art Psychohygiene, durch die er sein natürliches Wesen bewahrt und seinen Haß auf den Despotismus in politisch vorwärtsweisende Bahnen lenkt, so daß er gleich bei Ausbruch der Revolution ins aktuelle Geschehen eingreift und auf Grund seiner Talente einer ihrer Führer wird. Er war es, der beim Zusammentreten der Generalstände 1789, nachdem der König die Räumung des Saales angeordnet hatte und die Deputierten des Dritten Standes ausharrten, dem Oberzeremonienmeister, dem Marquis de Dreux-Brézé, die historischen Worte zurief: »Monsieur, wir sind hier versammelt durch den Willen des Volkes und werden nur der Gewalt der Bajonette weichen!«

Im Gegensatz dazu steht der Marquis de Sade, der zur gleichen Zeit wie Mirabeau in Vincennes eingesperrt ist, ohne daß sich die beiden, der eine wie der andere Provenzale und sogar entfernt verwandt, persönlich kennen. Beide leiden unter dem gleichen Zwang, dem gleichen

Haß, und sie schreiben beide, um sich abzureagieren und um zu überleben. Beide widerspiegeln zwar in ihren Texten die ausschweifenden Sitten der höheren Stände des Ancien régime, doch während Mirabeau erotische Romane schreibt – sie erschienen alle erst in den achtziger Jahren, ›Hic & Hec‹ erst postum 1798 mit dem fingierten Druckort Berlin –, um der verzehrenden Leidenschaft und bedrängten Männlichkeit ein Ventil zu schaffen und die Erhöhung des Genusses als Ausdruck seiner Sinnlichkeit zu feiern, wird Sades Haß zur nihilistischen Weltanschauung, die alle menschlichen Beziehungen leugnet, ›in düstere Bezirke des Erotismus ausbrach‹ und mit seinen Texten über ›Justine‹, ›Juliette‹, ›Die Philosophie im Boudoir‹ und ›Die 120 Tage von Sodom‹ eine Enzyklopädie und ein Plädoyer des Bösen schuf.

Durch Zugeständnisse an seinen Vater, der die Wiederherstellung der Ehe des Sohnes und dessen Unterstützung im Kampf gegen die Mutter wünscht, öffnen sich Mirabeau am 13. Dezember 1780 die Gefängnistore. Alles hatte sich der Gefangene für diesen Tag der Freiheit bewahrt, doch Verzicht war der Preis dafür, Verzicht auf seine Liebe zu Sophie. Sophies Liebe war so groß, daß sie auf ihn verzichtete, ja, sie riet ihm sogar, gewiß mit blutendem Herzen, aber in selbstloser Weise, zur Aussöhnung mit seiner Frau, was aber nie zustande kam. So gingen die Wege der beiden auseinander. Mirabeau verlor mit aufsehenerregender Bravour, die ihm im Königreich große Popularität einbrachte, den Scheidungsprozeß *seiner* Frau, bevor er zum großen Tribun der Revolution wurde. Sophie hatte noch einmal Hoffnung auf Liebe geschöpft, nachdem ihr Mann gestorben war, und wollte sich wieder verheiraten und neues Glück finden. Es sollte nicht sein! Der Erwählte starb kurz vor der Heirat. Da ist wohl alles in ihr zerbrochen, da hat sie resigniert und im September 1789 den Freitod gewählt. Als man Mirabeau während einer Sitzung der Nationalversammlung die Nachricht vom Selbstmord seiner einzigen Liebe überbrachte, da soll er sich zutiefst erschüttert aus dem Saal geschlichen und tagelang nicht gezeigt haben. Danach hat er seine Gesundheit auf der politischen Bühne und im wilden Genußleben verschlissen. Trotz aller Leiden, die seinen Körper in den letzten Lebensjahren wie ein zu großer Docht eine Kerze verzehrten, erschien er doch immer in der Nationalversammlung und bestieg, halb erblindet von einem Augenleiden, das er sich durch seine Kerkerhaft in Vincennes zugezogen hatte, und an Kopf und Hals verbunden, wo man ihn durch Blutegel zur Ader gelassen hatte, die Rednertribüne. ›Bis ich Mirabeau kannte‹, meinte ein Zeitgenosse, ›habe ich keine Vorstellung davon gehabt, was in der Zeit von vierundzwanzig Stunden ein Mensch alles leisten kann.‹ Und Madame de Staël sagte von ihm: ›Die Dämonen der Leidenschaft hielten ihn umstrickt, wie die Schlangen den Laokoon.‹ Nach der Scheidung von seiner Frau fand er zwar noch einmal eine von seinem mitreißenden Wesen gebannte und von seinem bedauernswerten Lebensweg tief gerührte und stark beeindruckte Gefährtin: Madame de Nehra, eine gebürtige Holländerin, doch sie vermochte ihn nur wenige Zeit durch ihre hingebungsvolle, zarte Liebe zu fesseln. Dann brach sein unbändiges Naturell mit ihm durch, und es schien, als wollte er in der Liebe und Wollust all das nachholen, was er in seiner Jugend versäumt hatte. Er lebte nun so, wie er es sich in seinen erotischen Romanen ausgemalt hatte. Seine Nächte verbrachte er beim Duc de Lauzun, dem ›Grand amoureux‹ Frankreichs, dem ein Lustschlößchen an der Barrière du Maine gehörte, wo sich neben diesem und Mirabeau noch andere

Lebemänner wie Narbonne und Talleyrand mit einer Schar von ›Sirenen der Oper‹ trafen, die man ausloste und, war das Los ungünstig ausgefallen, auch austauschte.

Seinen Tod machte Mirabeau, als echter Sohn des Südens, zu einem melodramatischen Ereignis. Und bei der Vorstellung, die er bewußt erlebte, fehlte es nicht an Zuschauern: das Sterbehaus in der Rue de la Chaussée d'Antin war dicht umdrängt von Leuten aus allen Ständen und Volksschichten. Eines seiner letzten Worte soll gewesen sein: ›Ich nehme das Leichengewand der Monarchie mit mir, um seine letzten Fetzen werden sich nun die Parteien streiten.‹

Am frühen Morgen des 2. April 1791 starb Mirabeau. Er hat seinen Vater, der finanziell völlig ruiniert war, um nur zwei Jahre überlebt; seine Mutter ist drei Jahre nach ihm bettelarm im Gefängnis gestorben. Der Kampf der Familie und das Leid, das daraus erwuchs, war zu Ende.

Eberhard Wesemann

Anmerkungen

5 *Tertia:* lat., drittletzte Klasse einer Schule.
Regens: lat., Ober- bzw. Klassenlehrer.

6 *Satire des Petronius:* Gemeint ist Gajus Petronius Arbiter, der in der Kaiserzeit Neros (37–68) lebte und als Verfasser des ›Satyricon‹ gilt, ein als Fragment überliefertes Werk, in dem die Sittenverwilderung jener Zeit geschildert wird: Aberglauben, unersättliche Geschlechtsgier (hier vor allem auch die Knabenliebe) und die Völlerei.
Sextaner: lat., Schüler einer ersten Klasse.

8 *Sokrates ... Alkibades:* Dem griechischen Philosophen Sokrates (469–399 v.u.Z.) wurde päderastischer Verkehr mit seinem Schüler Alkibiades (um 450 – 404 v. u. Z.), dem späteren athenischen Politiker, Feldherrn und Abenteurer, und anderen nachgesagt. Wegen seines Urteils über freieren Verkehr der Geschlechter und also sittlicher und geistiger Verführung der Jugend mußte er den Schierlingsbecher trinken. Sein Name ist durch die genannte Verleumdung der Sophisten in späteren Jahrhunderten sprichwörtlich für homosexuellen Verkehr (›sokratisieren‹) geworden.
›Gesellschaft Jesu‹: lat., Societas Jesu; 1534 von Ignatius von Loyola (1491 oder 1495–1556) gegründeter katholischer Orden, der seine Aufgabe darin sah, mit allen Mitteln die Gegenreformation durchzusetzen und die Herrschaft des Papsttums zu sichern. Der Jesuitenorden war streng militärisch organisiert (z. B. Ordensgeneral, Kadavergehorsam), und seine Mitglieder kämpften als Beichtväter, Diplomaten und Politiker gegen jeden Fortschritt. Wegen seines Gewinnstrebens und seiner politischen Umtriebe wurde der Orden im 18. Jahrhundert verboten (1759 in Portugal, 1764 in Frankreich, 1767 in Spanien). 1773 wurde er von Papst Clemens XIV. gänzlich aufgelöst, doch 1814 durch Papst Pius VII. wieder zugelassen.

12 *Maître*. frz., Bezeichnung in Frankreich für den Advokaten, hier im Sinne von ›Redner‹.

14 *Jupiter ... Ganymed:* Ganymedes, der Sohn des Tros und Urenkel des Dardanos, hieß es in der griechischen Mythologie, soll der Schönste unter den Sterblichen gewesen sein, so daß ihn die Götter, d. h. Zeus in der Gestalt eines Adlers, von der Erde zum Olymp entführt hätten, wo er den Göttern als Mundschenk diente. Zeus, der in sexueller Hinsicht ziemlich frei war, soll auch diesbezüglich Gefallen an Ganymedes gefunden haben.

16 *Hic & Hec:* lat., auch Hic und Haec (Er und Sie); hier als ›nomen est omen‹ bezeichnet, das heißt, er war hetero- wie homosexuell veranlagt.

27 *Fichu:* frz., Bezeichnung für ein meist weißes dreizipfliges Tüchlein, das das Dekolleté verhüllte.

30 *Hebe:* Aus der Götterehe des Jupiter und der Juno entsproß auch Hebe, die Göttin der Jugend. Sie galt als Sinnbild der Fortpflanzung, wodurch die Gattung immer neu geboren wurde und sich in ewiger Jugend erhielt.

Sappho: Größte Dichterin der Antike, lebte zwischen 630 und 570 v. u. Z. zumeist in Mytilene auf Lesbos im Kreise junger schöner Freundinnen, die sie in der Dichtkunst und Musik unterrichtet haben soll. Diese ihre Freundschaft wurde später als unsittlich verleumdet und ihr Name und Lesbos sprichwörtlich für weiblich homosexuelle Liebe.

Phaon: Die Dichterin Sappho war mit einem reichen Mann aus Andros verheiratet, dem sie eine Tochter, namens Klais, gebar. Spätere Zeiten verleumdeten sie nicht allein dadurch, daß sie mit ihren Schülerinnen homosexuellen Verkehr gehabt haben soll, man sagte ihr auch nach, sie hätte daneben auch einen Jüngling namens Phaon geliebt, und da sie von demselben verschmäht und verlassen worden sei, hätte sie sich aus Verzweiflung vom leukadischen Felsen ins Meer gestürzt.

Duchesse: nach vorn verlängerter Polsterstuhl mit gondelähnlich abgerundeter Rücken- und Seitenlehne, der von 1745 bis 1780 in Mode war.

Diana: in der griechischen Mythologie die Tochter des Jupiter und der Latona. Sie wird als die Göttin der Jagd gepriesen und immer mit Köcher und Bogen abgebildet. Sie lenkt am Himmel allnächtlich auch den Wagen des Mondes und wird auf Erden in jugendlicher Schönheit immer neu geboren. Ihre Begleiterinnen auf der Erde sind die Nymphen. Als Schwester des Apollo schimmert Diana unter den Göttinnen am hellsten hervor, weil dieser seinen Glanz mit auf sie wirft. Als menschlicher Zug ist ihr die

Keuschheit eigen. So sind Diana und Venus in ihrem Wesen die Allerentgegengesetzten unter den himmlischen Göttergestalten. Unter allen Lieblingen der Götter hat die altgriechische Dichtung den schönen Jäger Endymion eines besonderen Vorzugs gewürdigt, weil Diana selber, von seinen Reizen gefesselt, die Macht der Liebe empfand.

30 *Euphrosyne:* In der griechischen Mythologie vermählte sich eine Tochter des Okeanos, Eurynome, mit Jupiter und gebar diesem die Grazien Aglaja, Thalia und Euphrosyne, deren Augen Liebe einflößten. Dem Amor und den Musen wurden die Grazien zugesellt, sie umgaben selbst Jupiters Thron. Im Himmel und auf der Erde erkannte man ihre Herrschaft an und huldigte ihrem Einfluß, ohne den die Schönheit nicht vollständig ist, ›denn durch die Grazien, in tanzender Stellung abgebildet, wird vorzüglich der Reiz der Bewegung im Gang, Gebärden und Mienen ausgedrückt, wodurch die Schönheit am meisten die Seele fesselt‹. (Moritz, Götterlehre, Leipzig [Insel-Verlag] 1984, S. 229.)

38 *Novene:* ital., die neuntägige Andacht (Gebete und Gesänge).

Psalm Miserere: lat., Erbarme dich; katholischer Kirchengesang, dem als Text der 57. Psalm (beginnend: Miserere mei, Domine) zugrunde liegt und der zumeist mittwochs und freitags in der Fastenzeit, besonders jedoch in der Karwoche, gesungen wird.

46 *tapfer wie einstmals Curtius:* Gemeint ist wahrscheinlich M. Curtius, ein mutiger junger Mann, der sich im Jahre 362 v. u. Z. in einen auf dem römischen Forum möglicherweise durch ein Erdbeben entstandenen Schlund, der nicht durch Erde auszufüllen war, auf prächtig geschmücktem Pferd mit kostbaren Schätzen stürzte, um, dem Orakelspruch gemäß, den Zorn der Götter zu sühnen, worauf sich dann auch der Schlund wieder geschlossen haben soll. Das Beispiel des Curtius führte Mirabeau in zahlreichen seiner revolutionären Reden an.

48 *Clinchetet* (oder auch Klingstedt oder Klingstaedt): ein zu Anfang des 18. Jahrhunderts berühmter Miniaturmaler, den man den ›Raphael der Tabatieren‹ nannte und dessen Sujet zumeist frivol-galante Szenen waren.

heilige Magdalena: Gemeint ist die im Neuen Testament erwähnte große Sünderin Magdalena, die durch ihre Erniedrigung vor Jesus im Hause des Simon zum rechten Lebenswandel und Glauben gelangt. Der nach ihr benannte

Orden kümmerte sich um gefallene Mädchen. Im Mittelalter und der Renaissance galt sie den Prostituierten als Schutzheilige.

51 *Fiskal:* hier der in der Diözese Zuständige für die Steuern und Finanzen.

Offizial: Geheimer Rat eines geistlichen Fürsten o. Bischofs.

52 *Sanchez:* Tómas Sanchez (1550 bis 1610), berühmter jesuitischer Theologe, heftig bekämpft von den Jansenisten und Protestanten.

›niederen Weihen‹: Die Ordination ist ein Akt der Weihegewalt, durch den dem Kleriker die spirituelle Befähigung übertragen wird. Man unterscheidet u. a. die ›ordines minores‹ (niederen Weihen), z. B. des Ostiarius, Lektors oder Exorzisten; sowie die ›ordines majores‹ (höheren Weihen), z. B. des Episkopus, Presbyters oder Diakonus. Die Bezeichnung ›niedere Weihen‹ ist hier, wie der Leser selbst gemerkt haben wird, doppeldeutig gemeint.

54 *Albano:* Francesco Albani (1578 bis 1660), genannt Albano, italienischer Maler vorwiegend mythologischer Themen in einem graziösen Stil

Boucher: François Boucher (1703–1770), französischer Maler pastoraler, mythologischer und frivol-galanter Themen in einem graziös-dekorativen Stil.

60 *Colla pazienza ...:* ital., mit Geduld und Spucke fängt man eine Mucke.

63 *Calèche:* Die Allegorie herrschte im 18. Jahrhundert in der Hutmode und der Frisur der Dame. Die Mode forderte Kopfputz mit ganzen Gärten, Gemüsebeeten und pastoralen Landschaften. So gab es auch Haartrachten z. B. à la Cabriolet oder auch Hüte à la Calèche, man trug aber auch Schiffe und andere Gegenstände als Kopfputz. Möglich, daß Mirabeau hier den Hut bewußt als Anspielung auf den defekten Wagen der Schloßgäste gewählt hat.

65 *Joseph ... Frau des Potiphar:* Nach der biblischen Erzählung (1. Moses 39) war Potiphar des Pharaos Kämmerer, dessen Frau den keuschen Joseph zu verführen suchte.

68 *Pegu:* ehemaliges Königreich auf dem heutigen Gebiet von Burma. Ein deutsches Lexikon aus dem 18. Jahrhundert beschreibt es folgendermaßen: ›Asiatisches Königreich auf der indischen Halbinsel, jenseits des Ganges gelegen. Es gehört dem König Ava. Das fruchtbare Land wird von den Europäern gern besucht. Die Hauptstadt gleichen Namens ist weitläufig, sehr bevölkert und besitzt einen prächtigen Königspalast. Die Stadt liegt am Flusse Pegu.

68 *Bénévent:* Die unteritalienische Provinz Bénévent gehörte im 18. Jahrhundert zum Kirchenstaat.
Mystifikation: frz., Fopperei.

70 *als Hebe die Keule des Herkules:* Hebe, die Göttin der ewigen Jugend, wurde nach des Schicksals Beschluß Herkules vermählt, nachdem dieser zum Olymp und damit zum Gott hat aufsteigen dürfen. In der Dichtung, aber auch auf Bildern wird Herkules oft mit einer riesigen Keule dargestellt; die Anspielung im Text liegt auf der Hand.
heraldische Akzedenzien: lat., gemeint sind die verschiedenen Wappenfiguren, -farben oder -elemente, die Auskunft über die familiäre Herkunft geben.

73 *Lingam:* indische Bezeichnung für den Penis; im Lingam-Kult wurde das männliche Glied auf ähnliche Art als Symbol der Fruchtbarkeit verehrt wie in der griechisch-antiken Tradition in dem Wort ›Phallus‹.
›Multiplikanten‹: lat., gemeint ist der Geschlechtsverkehr zwischen mehreren Personen.

75 *›Ich bin nicht auf die Erde gekommen ...‹:* Genau heißt es: Ihr sollt nicht wähnen, daß ich gekommen bin, das Gesetz ... aufzulösen; ich bin nicht gekommen, aufzulösen, sondern zu erfüllen (Matthäus 5, 17)

83 *Apollo aus dem Vatikan:* Statue des Apollo von Belvedere.

84 *Gott von Lampsakos:* In dieser ionischen Stadt am Hellespont war der Hauptsitz des Priaposkults.

86 *Longchamp:* Gemeint ist die Avenue de Longchamp im Bois de Boulogne, ein Ausflugsort der Pariser, wo man sich zu Pferde oder im Wagen zeigte. Longchamp ist heute Pferderennplatz.

93 *Thetis:* Tochter von Nereus, dem Gott der ruhigen Meeresfläche, ihre Schwestern waren die Nereiden. Thetis wurde mit dem König Peleus verheiratet, mit dem sie Achill zeugte.
Najaden: In der griechischen Mythologie hießen die Nymphen der Landgewässer Najaden, die sich wiederum in Flußnymphen, Quellnymphen und Nymphen der stehenden Gewässer teilen.
Phöbus: griech., Beiname von Apollo.
Horen: Göttinnen der Ordnung in der Natur, die Fruchtbarkeit brachten. Die Göttinnen von ihnen, die die Pflanzen zur Blüte und Reife brachten, ernährten auch die aufblühende Jugend und brachten das Tun der Menschen zu einem glücklichen Ende.
Gotte ... mit Flügeln an den Schuhen: Hermes der Götterbote.

94 *Mademoiselle Saucerotte:* berühmte französische Tragödin im 18. Jahrhundert.

Rolle der Dido: Dido soll eine phönizische Prinzessin gewesen sein und gilt als Gründerin Karthagos. Der römische Dichter Vergil hat in der ›Aeneis‹ die Sage von der Dido nach seinen Zwecken umgestaltet. In seinem Epos endet Dido ihr Leben auf dem Scheiterhaufen, weil der von ihr geliebte Aeneas auf Beschluß des Schicksals und Befehl Jupiters sie heimlich verläßt. Der Stoff ist im 18. Jahrhundert oft dramatisiert und vertont worden. Am bekanntesten ist die Tragödie ›Didone abbandonata‹ (1723) von Pietro Metastasio, eine Operndichtung, die von Tommaso Albioni 1725, von Johann Adolf Hasse 1742, von Niccolò Jommelli 1747 und von Tommaso Traetta 1757 vertont worden ist. Um welches Stück oder welche Oper es sich hier handelt, ist ungewiß.

Thévenin: französische Schauspielerin in der zweiten Hälfte des 18. Jahrhunderts, damals bekannt unter dem Namen Mademoiselle Sophie.

96 *Postulantinnen:* lat., Bewerberinnen für ein Kloster.

Novizen: lat., Probenonnen.

97 *Agnus Dei:* lat., Lamm Gottes; hier Bild, auf dem ein Lamm mit Kreuzfahne und ein Heiliger dargestellt waren.

104 *Racine, Britannicus:* Der klassische französische Dichter Jean Baptiste Racine (1639–1699) schrieb 1669 die Tragödie ›Britannicus‹. Das Stück hat die Eifersucht Neros auf das Liebesglück seines Halbbruders Britannicus mit Junie zum Inhalt.

115 *Saturnin mit Madame Dinville:* Szene aus dem erotischen Roman ›Histoire de dom B…, portier de Chartreux‹ (1742) von J.C. Gervaise de Latouche.

AtV

Band 1414

Guillaume Apollinaire
Die Großtaten eines jungen Don Juan

Aus dem Französischen von
Eberhard Wesemann

140 Seiten
ISBN 3-7466-1414-7

Der große Dichter der französischen Moderne, Autor des »Pont Mirabeau«, der »Calligrammes« und der Gedichtsammlung »Alcools«, Freund der Maler Matisse, Braque, Picasso veröffentlichte 1907, nur mit seinen Initialen G. A. gezeichnet, diesen provokanten Roman, den die Literaturgeschichte meist verschwiegen hat. Die saftigen phallischen Großtaten seines jugendlichen Helden Roger offenbaren die bis zur Maßlosigkeit gesteigerten Männlichkeitsträume eines Dichters, der ein Leben lang unter unerfüllter Liebessehnsucht gelitten hat.

AtV

Band 1412

John Cleland
Die Abenteuer der Fanny Hill

Roman

Nach einer alten Übersetzung aus dem Englischen

Herausgegeben und mit einem Nachwort versehen von Kurt Starke

314 Seiten
ISBN 3-7466-1412-0

Einsame Spitze in der Fülle der europäischen Erotika: Fanny Hill, die ehrbarste Dirne der Weltliteratur, genießt den Sex, aber sie sucht die Liebe – und findet sie am Ende auch. Die erotisierende Macht des Wortes, hier trifft sie zu. Vielleicht ist darum diese 1749 erschienene Lebensbeichte einer pretty woman des 18. Jahrhunderts, die so kraftvoll und elegant, aber nie roh in ihrer Sprache ist, eines der am meisten verfolgten Bücher der Literaturgeschichte gewesen: erst 1963 wurde es von einem New Yorker Tribunal gänzlich »freigesprochen«.

AtV

Band 1415

Josefine Mutzenbacher und ihre 365 Liebhaber

Roman

250 Seiten

ISBN 3-7466-1415-5

Wenn die Pepi, also die Josefine, am Ende des Buches, nun bald eine gutbürgerliche Ehefrau, über eine ehrbare Zukunft ihres Töchterchens nachsinnt, muß sie sich von der Freundin Steffi in realistischer Einschätzung der Dinge sagen lassen: »Na, leicht is ja net, a Dame und anständig sein, solang die Männer no an Zebedäus haben. Und das Vögeln wird so bald net aus der Mod kommen ...« Der hinreißende Charme des Wiener Dialekts, dazu literarische Gestalten von ausgeprägter Individualität machen diese vermeintliche Fortsetzung der »Lebensgeschichte einer Wiener Dirne« zu einem der deutschsprachigen Glanzpunkte im Fundus der internationalen erotischen Literatur.

AtV

Band 1413

Alfred de Musset

zugeschrieben

Gamiani oder zwei Nächte der Ausschweifung

Roman

131 Seiten
ISBN 3-7466-1413-9

In einer illustren Champagnerrunde der Romantik geht ein junger Dichter die Wette ein, binnen drei Tagen ein Werk zu schreiben, das eine starke sinnliche Leidenschaft zum Ausdruck bringt, ohne durch rohe Worte oder Bilder den Geschmack zu verletzen. Das 1833 erstmals erschienene kleine Opus erzählt vom lesbischen Liebeswahn einer Gräfin Gamiani, der mit Mord und Selbstmord endet im Augenblick der höchsten Lust. War die schaurige Geschichte ein Racheakt des Dichters Musset an seiner treulosen Geliebten George Sand? Erotische Texte sind, da meist anonym erschienen, von Mythen umwoben, die bisweilen fast ebenso spannend sind wie die Texte selbst.

AtV

Band 1258

Alles Liebe

Die schönsten Liebesgeschichten

Herausgegeben von Reinhard Rohn

280 Seiten
ISBN 3-7466-1258-6

Die Liebe! Wie könnten die Menschen ohne sie leben? Wie wollten die Autoren ohne sie ihre Geschichten erzählen? Mal ist die Liebe jung, mal romantisch, mal kommt sie wie ein zarter Windhauch daher, dann wieder voller Melancholie, aber nie ist die Liebe so wie beim Mal zuvor. Jede Liebe hat ihre Geschichte, und einige der schönsten sind in dieser Anthologie versammelt.

AtV

Band 1272

Frauenfeuer

Erzählungen

Herausgegeben von Dorle Brinkmann

240 Seiten
ISBN 3-7466-1272-1

In dieser Anthologie steht schrille Jugend neben phantasievoller Verschrobenheit, warme Weisheit neben Erfindungsgeist und Lebenshunger. Die Erzählungen schildern einzigartige und alltägliche Frauen, die ihr Leben selbst in die Hand nehmen und einem keinesfalls schwachen Geschlecht angehören. Isabel Allende, Angeles Mastretta, Vladimir Nabokov, Harold Brodkey, Marlen Haushofer und andere zeigen weibliche Heldinnen, die nicht nur als Brandstifterinnen von Gefühlen ihre Spuren hinterlassen.

AtV

Band 1270

Das Liebespaar auf der Linde

Tolldreiste Geschichten aus alter Zeit

Herausgegeben von Wolfgang Spiewok

230 Seiten
ISBN 3-7466-1270-5

Die Liebe ist das ewige Thema dieser unterhaltsamen Geschichten. Bekannte und unbekannte Autoren des 13. bis 15. Jahrhunderts schildern sie in allen möglichen und unmöglichen Variationen. Immer und überall treiben Sinneslust und Begierde Mann und Frau in unvorhersehbare Situationen. Oft genug schlägt Verliebtheit in Narretei, Leidenschaftlichkeit in Raserei um. Die Liebe als Abenteuer – unvergänglich wie die Geschichten über sie.

Slavenka Drakulić
Das Liebesopfer

Roman

Aus dem Kroatischen
von Astrid Philippsen

226 Seiten. Gebunden
ISBN 3-351-02833-4

»Ehe ich José traf, wußte ich nichts von der wahren Liebe, in der alles möglich und alles erlaubt ist, sogar der Tod. Die Liebe gibt einem Menschen die absolute Macht über ein anderes menschliches Wesen. Ich habe das nur bis zu Ende ausgenutzt.«

Sechsundsiebzig Tage hat die Dichterin aus Warschau mit ihrem brasilianischen Geliebten in New York zusammengelebt. Von Anfang an wußte sie, daß diese Beziehung nicht von Dauer sein würde, daß José in São Paulo Frau und Kind hatte. Auch wenn es für sie kein gemeinsames Leben gibt – auf José wird sie nicht verzichten.

Aufbau-Verlag

AtV

Band 1273

Christine Orban
Eine Liebe der Virginia Woolf

Roman

Aus dem Französischen von Christel Gersch

208 Seiten
ISBN 3-7466-1273-X

Virginia Woolf erscheint uns fast als ein Mythos. Die große Zerrissenheit in ihrem Leben und ihr tragischer Tod haben oft vergessen lassen, wie heiter, geistvoll, sprühend diese Frau im Umgang mit einem geliebten Menschen sein konnte. Christine Orban erzählt in ihrem Roman mit Wissen und außerordentlichem Taktgefühl die Geschichte von Virginias Leidenschaft für die schöne Aristokratin Vita Sackville-West, die das Vorbild für den »Orlando« wurde.

AtV

Band 6018 Aufbau Bibliothek

Walther von der Vogelweide
Frau Welt, ich hab von dir getrunken

Gedichte

Herausgegeben und übertragen von Hubert Witt

Mit einem Frontispiz

357 Seiten
ISBN 3-7466-6018-1

Die von Hubert Witt besorgte Ausgabe ist die umfassendste Sammlung der Gedichte von Walther von der Vogelweide, dem bedeutendsten mittelhochdeutschen Lyriker und Spruchdichter. Gegenüber allen anderen Ausgaben wird dem Leser nur hier eine neuhochdeutsche Nachdichtung geboten. Die Wiedergabe der Originaltexte erfolgt nach den Handschriften. Der kenntnisreiche Kommentar charakterisiert den Dichter in seinem Umfeld und seiner sprachlichen Spezifik.